#홈스쿨링
#혼자공부하기

똑똑한
하루
글쓰기

Chunjae
Makes
Chunjae

▼

[똑똑한 하루 글쓰기] 6B

기획총괄 박진영
편집개발 전종현, 이재인, 김민숙, 백경민, 박지윤, 김효진, 박지영
디자인총괄 김희정
표지디자인 윤순미, 김지현
내지디자인 박희춘, 배미현
제작 황성진, 조규영

발행일 2021년 12월 15일 초판 2021년 12월 15일 1쇄
발행인 (주)천재교육
주소 서울시 금천구 가산로9길 54
신고번호 제2001-000018호
고객센터 1577-0902

6단계 B 공부할 내용 한눈에 보기!

똑똑한 하루 글쓰기를 함께 할 친구들을 소개합니다.

바밤별에서 글쓰기를 배우러 온 외계인 친구 밤톨! 엉뚱발랄한 달래와 잘난 척 왕자 기찬을 만나 함께 공부하며 글쓰기 실력이 쑥쑥 자라고 있대요.

공부했으면 빈칸에 체크(v)해 줘!

1 일 8~17쪽 ☐	**2** 일 18~23쪽 ☐	**3** 일 24~29쪽 ☐	**4** 일 30~35쪽 ☐
서론 쓰기	본론 쓰기 ①	본론 쓰기 ②	결론 쓰기

매주 1일에는 이번 주에
무엇을 배울지도 함께 살펴보자.

5 일 36~41쪽 ☐

논설문 쓰기

1 일 50~59쪽 ☐		**특강** 42~49쪽 ☐
일기 형식으로 쓰기		창의·융합·코딩 ✚ 누구나 100점 테스트

2주

여러 가지 형식으로 독서 감상문을 써 보자!

한 주 끝! 하루하루 꾸준히 하자!

2 일 102~107쪽 ☐	**3** 일 108~113쪽 ☐	**4** 일 114~119쪽 ☐	**5** 일 120~125쪽 ☐
특별한 경험 쓰기	취미나 특기 쓰기	장래 희망 쓰기	자기소개서 쓰기

특강 126~133쪽 ☐

창의·융합·코딩 ✚ 누구나 100점 테스트

2 일 144~149쪽 ☐	**1** 일 134~143쪽 ☐	**4주**
설명문 고쳐 쓰기	논설문 고쳐 쓰기	글을 고쳐 써 보자!

똑똑한 하루 글쓰기
6단계 B
스케줄표

1주
논설문을 써 보자!

5 일 78~83쪽 ☐	4 일 72~77쪽 ☐	3 일 66~71쪽 ☐	2 일 60~65쪽 ☐
시 형식으로 쓰기	소개하는 글 형식으로 쓰기	기사문 형식으로 쓰기	편지 형식으로 쓰기

특강 84~91쪽 ☐
창의·융합·코딩 ➕ 누구나 100점 테스트

1 일 92~101쪽 ☐
성격 쓰기

3주
자기소개서를 써 보자!

대단해!
꾸준히 공부해서 한 권을 끝냈구나.

특강 168~175쪽 ☐	5 일 162~167쪽 ☐	4 일 156~161쪽 ☐	3 일 150~155쪽 ☐
창의·융합·코딩 ➕ 누구나 100점 테스트	온라인 글 고쳐 쓰기	상품 광고문 고쳐 쓰기	학급 신문 기사문 고쳐 쓰기

3주 자기소개서를 써 보자!

4주 글을 고쳐 써 보자!

안녕~!

함께 하자!

무엇이든 물어봐!

글쓰기도 재미있어!

글봇 판판 똑똑이 술술이

글쓰기 공부를 도와주는 글봇과 말하는 판다 판판도 글쓰기 공부를 함께할 거예요.
글쓰기 채널을 운영하는 똑똑TV 똑똑이와 술술TV 술술이도 기억해 주세요.

글쓰기,
어떻게 시작할까요?

똑똑한 글쓰기 질문
하나!
글쓰기 공부 왜 필요할까요?

자신의 생각을 표현하는 수단이자 모든 학습의 바탕이 되는 활동이 바로 글쓰기예요. 특히 배운 내용을 정리하고, 이해한 것을 글로 풀어내는 글쓰기 능력은 모든 과목 학습 성취에 큰 영향을 끼친답니다.

똑똑한 글쓰기 질문
둘!
계속되는 글쓰기 공부의 실패 원인은 무엇일까요?

글쓰기를 시작하는 순간부터 아이들은 무엇을 써야 할지, 어떻게 표현할지, 어떻게 고쳐야 자연스러울지 등 많은 고민을 하게 되고, 이를 힘들어한답니다. 이렇게 복잡하고 어려운 글쓰기 과정이 익숙해지지 않았을 때 "이것 한번 써 보렴." 하고 과제를 주면 돌아오는 대답은 "엄마, 글쓰기가 싫어요!"일 수밖에 없을 거예요. 그래서 『똑똑한 하루 글쓰기』는 아이들이 차츰 글쓰기에 익숙해지고 재미를 붙여 나갈 수 있도록 만들었답니다.

똑똑한 글쓰기 질문
셋!
글쓰기 공부 어떻게 시작해야 할까요?

쉽고 재미있는 『똑똑한 하루 글쓰기』로 시작해 보세요. 만화와 게임 형식의 문제로 글쓰기 개념을 익히고, 낱말 쓰기부터 한 편 쓰기까지 단계별로 글쓰기를 연습할 수 있어요. 그리고 고쳐쓰기를 통해 문법 실력을 키우고, 내 생각 쓰기로 마무리하며 창의적 글쓰기까지 연습할 수 있답니다. 하루하루 꾸준히 공부해서 한 권을 끝내면 글쓰기 실력과 함께 자신감도 쑥쑥 자랄 거예요.

진짜 똑똑한 글쓰기를 시작해 볼까요?

이 책의 특징과 장점

똑똑한 하루 글쓰기로 똑똑해지자!

지잉~

여기가 지구별이군! 드디어 글쓰기를 배울 수 있겠어!

너도 같이 글쓰기 공부 할래? 말할 수 있게 되어라~! 빠밤!

지잉~

응?

글쓰기 공부를 꼭 해야 해?

자신의 생각을 잘 표현하고, 모든 과목의 기초를 쌓기 위해 글쓰기는 필수라고.

너희도 글쓰기 공부 할 거니? 같이 하자.

하지만 이 글쓰기책은 너무 지루한걸.

쉽고 재미있는 글쓰기책도 있다고!

똑똑한 하루 글쓰기!
왜 똑똑한 하루 글쓰기일까요?

1 10분이면 하루 글쓰기 끝! 쉽고 재미있는 글쓰기 공부!

2 교과 학습 과정을 반영한 **갈래별 글쓰기!** 매주 다양한 갈래로 즐거운 학습!

3 **단계별 글쓰기**로 글쓰기 실력 향상! 낱말 쓰기부터 한 편 쓰기까지!

4 **고쳐쓰기**로 기초 실력 다지기! 어휘력과 문법 실력도 쑥쑥!

5 **창의·융합·코딩**으로 사고력 넓히기! 생활 어휘부터 코딩 학습까지!

구성과 활용 방법

주 도입

한 주 동안 공부할 내용을 만화로 미리 살펴보고, 한 주의
글쓰기 개념을 만화와 문제로 확인합니다.

똑똑한 하루 글쓰기 코스

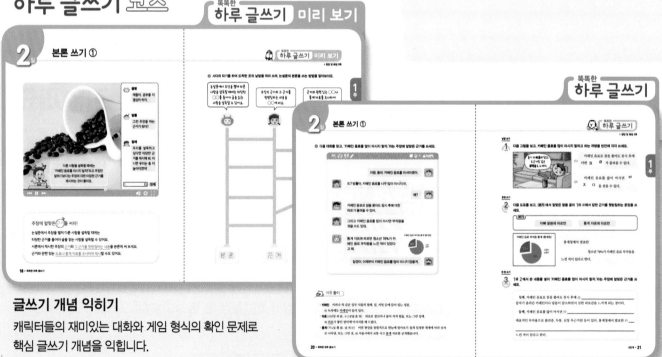

글쓰기 개념 익히기

캐릭터들의 재미있는 대화와 게임 형식의 확인 문제로
핵심 글쓰기 개념을 익힙니다.

단계별 글쓰기

다양한 글쓰기 상황을 살펴보고, '낱말 쓰기 → 문장 쓰기 → 한 편 쓰기'를
단계별로 학습하며 쉽고 재미있게 글쓰기를 연습합니다.

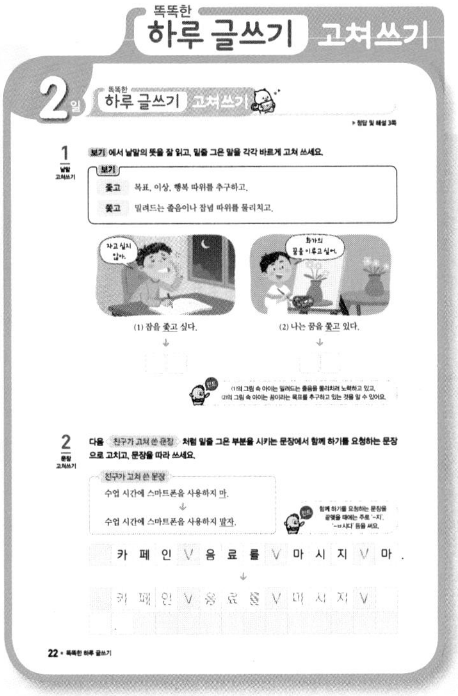

고쳐쓰기

'낱말 고쳐쓰기 → 문장 고쳐쓰기'를 통해 글쓰기의 기본인 어휘력을 높이고 문법과 맞춤법 실력을 다집니다.

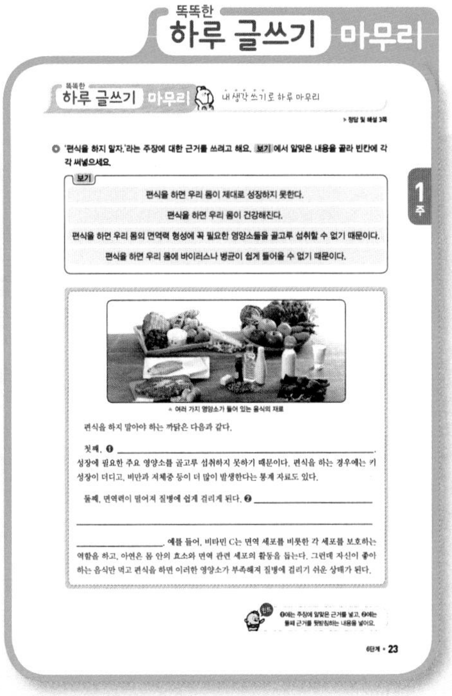

내 생각 쓰기로 마무리

하루 학습 목표에 맞게 제시된 주제에 대한 내 생각 쓰기로 하루의 글쓰기 학습을 마무리합니다.

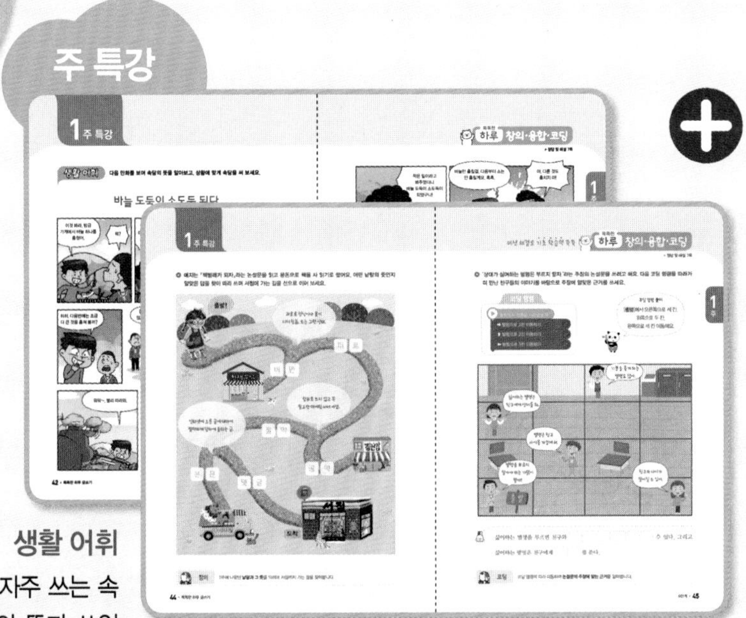

생활 어휘

생활 속에서 자주 쓰는 속담과 관용어의 뜻과 쓰임을 만화로 익힙니다.

창의·융합·코딩 미션

게임 형식의 창의·융합·코딩 미션을 해결하며 재미있게 한 주의 중요 어휘를 확인하고 다양한 배경지식을 넓힙니다.

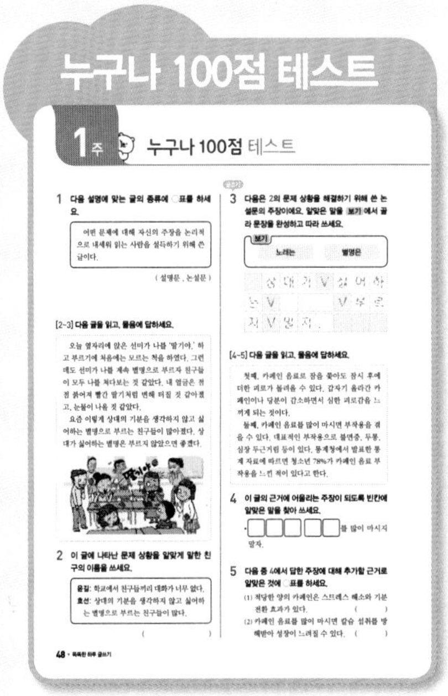

누구나 100점 테스트

한 주 동안 공부한 내용을 평가하며 갈래별 글쓰기 실력을 확인합니다.

친구들과 약속해요!

우리 같이 약속해요!

첫째, 하루하루 빠짐없이 꾸준히 공부하기!

둘째, 하루 글쓰기 문제 끝까지 다 풀기!

셋째, 또박또박 바르게 글씨 쓰기!

약속하는 사람 _____

쉽고 재미있는
『똑똑한 하루 글쓰기』로
첫 글쓰기 공부를 시작해 봐요.

똑 똑 한

하루
글쓰기

6 단계
B

5~6학년

1주에는 무엇을 공부할까? ❶

논설문을 써 보자!

1-1

다음은 어떤 글에 대한 설명인지 알맞은 것을 골라 ○표를 하세요.

> 어떤 문제에 대해 자신의 주장을 논리적으로 내세워 읽는 사람을 설득하기 위해 쓴 글이다.

(1) 설명문 (   )

(2) 논설문 (   )

(3) 감상문 (   )

1-2

다음 대화를 읽고 두 친구가 어떤 글을 쓰면 좋을지 골라 따라 쓰세요.

지구의 환경 오염 문제를 해결하고 싶어.

주장을 논리적으로 내세워 사람들을 설득하는 내용의 글을 써 보자.

기 행 문   논 설 문

2-1 논설문의 결론을 쓰는 방법을 알맞게 말하지 <u>못한</u> 친구에 ×표를 하세요.

글의 내용을
요약하여 써.

주장을 다시 한번
강조해서 써.

읽는 사람에게 하는
끝인사를 써.

(1) (   )　　　　(2) (   )　　　　(3) (   )

2-2 다음은 '자연을 보호하자.'라고 주장하는 논설문의 결론이에요. 밑줄 그은 부분에 대해 알맞게 말한 친구의 이름을 쓰세요.

　　지구 온난화와 이상 기후, 사막화 등 환경 오염으로 인한 위협이 우리의 삶에 영향을 끼치기 시작하였다. 지구를 더 이상 내버려 두면 돌이킬 수 없는 무서운 일이 일어날지 모른다. <u>우리 모두 자연 보호를 위한 방법을 생각하고 실천에 옮겨야 한다.</u>

찬호: 글의 내용을 요약하여 썼네. 앞의 내용이 다시 떠올랐어.
우리: 주장에 대한 근거를 썼네. 근거를 보니 설득력이 있어.
지한: 주장을 다시 한번 강조해서 썼구나. 글쓴이의 주장을 확실히 알겠어.

(   )

서론 쓰기

밤톨
친구들이 자꾸 나를 '군밤 장수'라는 별명으로 불러서 싫어.

달래
상대방이 싫어하는 별명은 부르지 말았으면 좋겠어.

기찬
그럼 이 문제를 가지고 논설문을 써서 친구들에게 보여 주자.

안녕하세요. 술술TV의 술술이에요!
오늘은 논설문의 서론을 함께 쓸 거예요.
밤톨 친구의 경험을 바탕으로 문제 상황을 찾고, 그에 대한 주장을 써 봐요.

I ☺ 입력

논설문의 서론을 써라!

어떤 문제에 대해 자신의 주장을 논리적으로 내세워
읽는 사람을 설득하기 위해 쓴 글을 논설문이라고 해요.
논설문은 '서론–본론–결론'으로 구성해요.
서론에서는 문제 상황을 밝히고, 그에 대한 자신의 주장을 써요. 글을 읽는 사람들이
관심과 흥미를 가지도록 자신의 경험을 쓰거나 기사문 등을 인용해 쓰면 좋아요.

▶ 정답 및 해설 2쪽

1주

● 논설문의 서론을 쓰는 방법에 맞게 빈칸에 알맞은 말을 쓰고, 그 말을 퍼즐판에서 찾아 ○표를 하세요.

어떤 문제에 대해 자신의 주장을 논리적으로 내세워 읽는 사람을 설득하기 위해 쓴 글을 ❶ 논 설 문 이라고 해요.

서론에서는 문제 상황을 밝히고, 그에 대한 자신의 ❷ _____ 을 써요.

논	개	흥	부
설	지	미	윤
문	나	호	다
한	파	주	장

글을 읽는 사람들이 관심과 ❸ _____ 를 가지도록 자신의 경험을 쓰거나 기사문 등을 인용해 쓰면 좋아요.

● 다음 수진이의 일기를 읽고, 논설문의 서론을 쓰세요.

날짜: 20○○년 9월 20일 화요일	날씨: 내 마음만큼 흐린 날

나를 ▾별명으로 부르지 말아 줘!

친구가 자꾸 내가 싫어하는 별명으로 불러서 울 뻔하였다. 나는 그 별명이 정말 싫다. 꼭 나를 놀리는 것 같아서이다.

오늘 옆자리에 앉은 선미가 나를 '딸기야.' 하고 부르기에 처음에는 모르는 ▾척을 하였다. 그런데도 선미가 나를 계속 별명으로 부르자 친구들이 모두 나를 쳐다보는 것 같았다. 내 얼굴은 점점 ▾붉어져 빨간 딸기처럼 변해 터질 것 같아졌고, 눈물이 나올 것 같았다.

요즘 이렇게 상대의 기분을 생각하지 않고 싫어하는 별명으로 부르는 친구들이 많아졌다. 상대가 싫어하는 별명은 부르지 않았으면 좋겠다.

🐹 어휘 풀이

▾**별명|**다를 별 別, 이름 명 名|　사람의 외모나 성격 따위의 특징을 바탕으로 남들이 지어 부르는 이름.
　　예 내 동생의 별명은 '껌딱지'예요.

▾**척**　그럴듯하게 꾸미는 거짓 태도나 모양. 예 나는 동생을 못 본 척하였다.

▾**붉어져**　빛깔이 점점 붉게 되어 가. 예 날이 갈수록 꽃봉오리가 점점 붉어져 간다.

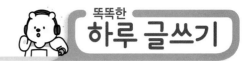
1 주

낱말 쓰기

1
단계

다음 그림을 보고, 수진이가 생각하는 문제 상황을 쓰세요.

싫어하는 **별명**을 듣는 내 기분도 생각해 줘.

(1) 친구가 자꾸 내가 싫어하는 ㅂ ㅁ 으로 불러서 울 뻔한 일이 있었다.

(2) 요즘 상대의 ㄱ ㅂ 을 생각하지 않고 싫어하는 별명으로 부르는 친구들이 많다.

문장 쓰기

2
단계

다음 보기 에서 빈칸에 알맞은 말을 골라 **1** 번의 문제 상황에 알맞은 주장을 쓰세요.

보기

상대가   동생이   싫어하는   좋아하는

별명은 부르지 말자.

한 편 쓰기

3
단계

1 과 **2** 에서 완성한 문장을 넣어 논설문에 들어갈 서론을 쓰세요.

❶친	구	가	V	자	꾸	V	내	가	V
	V				V			V	울	V	뻔
한	V	일	이	V	있	었	다	.	❷요	즘	V
	V				V		하	지	V	않	고	V
싫	어	하	는	V	별	명	으	로	V	부	르	는	V
친	구	들	이	V	많	다	.	❸			V
		V				V				V	말	자	.

1

낱말 고쳐쓰기

다음 문장의 밑줄 그은 낱말 대신 바꿔 쓰기에 알맞은 낱말을 보기 에서 골라 쓰세요.

> 보기
>
> **점차** 차례를 따라 조금씩.
>
> **차츰** 어떤 사물의 상태가 시간의 흐름에 따라 일정한 방향으로 조금씩 진행하는 모양.

내 얼굴은 점점 붉어져 빨간 딸기처럼 변해 터질 것 같아졌다.

→ 내 얼굴은 [　][　] 붉어져 빨간 딸기처럼 변해 터질 것 같아졌다.

 힌트 '점점'은 '조금씩 더하거나 덜하여지는 모양.'을 뜻하는 말이에요. 어떤 말로 바꾸어 써도 모두 답이 될 수 있어요.

2

문장 고쳐쓰기

다음 친구가 쓴 문장 과 같이 두 문장을 하나로 합쳐서 한 문장으로 만들고 문장을 따라 쓰세요.

> 친구가 쓴 문장
>
> 선미가 나를 계속 별명으로 불렀다. 그러자 친구들이 모두 나를 쳐다보는 것 같았다.
>
> ↓
>
> 선미가 나를 계속 별명으로 부르자 친구들이 모두 나를 쳐다보는 것 같았다.

> 수지가 간식을 꺼냈다. 그러자 고양이들이 가까이 다가왔다.

↓

수	지	가	V	간	식	을	V			V	고
양	이	들	이	V	가	까	이	V	다	가	왔	다	.

◉ 다음 만화를 읽고, 빈칸에 알맞은 말을 넣어 밤톨이가 쓸 논설문의 서론 부분을 완성하세요.

❶ _____ 에 의하면, ❷ _____

_____고 한다.

특별한 기념일 때문에 곤란을 겪는 친구들이 있다면 기념일을 챙겨서는 안 된다. 발렌타인

데이나 화이트 데이 같은 ❸ _____ 을 챙기지 말자.

힌트 밤톨과 기찬이가 무엇을 인용하였고, 어떤 문제 상황에 대해
어떤 주장을 하였는지 만화 속 밑줄 그은 말을 잘 살펴보아요.

본론 쓰기 ①

글봇
얘들아, 공부를 더 열심히 하자.

밤톨
그런 주장을 하는 근거가 뭐야?

달래
우리를 설득하고 싶다면 타당한 근거를 제시해 봐. 아니면 우리는 좀 더 놀아야겠어!

다른 사람을 설득할 때에는
'카페인 음료를 많이 마시지 말자!'라고
주장만 말하기보다는 주장에 대한 타당한
근거를 제시하는 것이 좋아요.

주장에 알맞은 근거를 써라!

논설문에서 주장을 펼쳐 다른 사람을 설득할 때에는

타당한 근거를 들어야 글을 읽는 사람을 설득할 수 있어요.

서론에서 제시한 주장의 근거와 그 근거를 뒷받침하는 내용을 본론에 써 보세요.

근거와 관련 있는 도표나 통계 자료를 조사하여 제시할 수도 있어요.

똑똑한 하루 글쓰기 미리 보기

▶ 정답 및 해설 3쪽

● 사다리 타기를 하여 도착한 곳의 낱말을 따라 쓰며, 논설문의 본론을 쓰는 방법을 알아보아요.

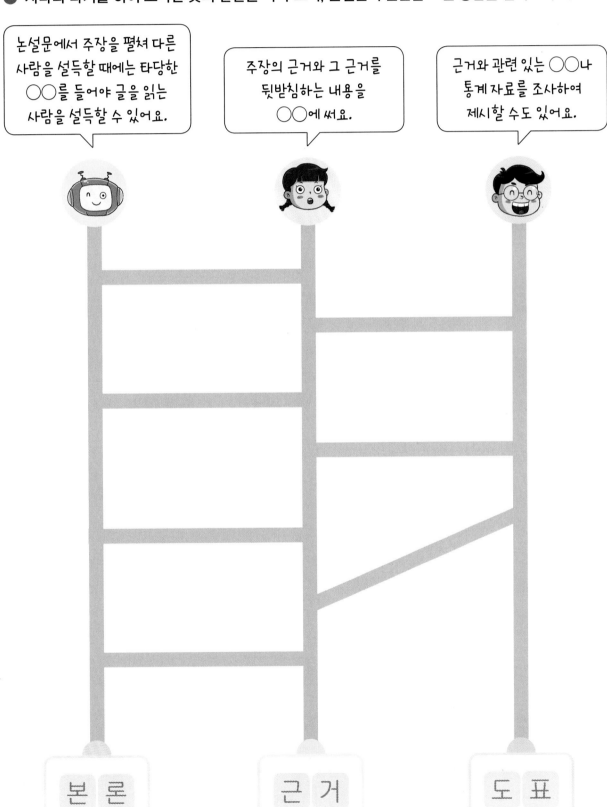

논설문에서 주장을 펼쳐 다른 사람을 설득할 때에는 타당한 ○○를 들어야 글을 읽는 사람을 설득할 수 있어요.

주장의 근거와 그 근거를 뒷받침하는 내용을 ○○에 써요.

근거와 관련 있는 ○○나 통계 자료를 조사하여 제시할 수도 있어요.

본 론

근 거

도 표

○ 다음 대화를 읽고, '카페인 음료를 많이 마시지 말자.'라는 주장에 알맞은 근거를 쓰세요.

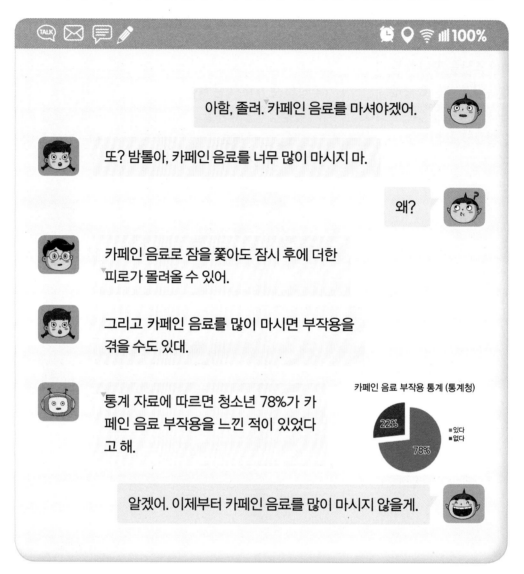

   어휘 풀이

▽ **카페인** 커피나 차 같은 일부 식물의 열매, 잎, 씨앗 등에 들어 있는 성분.

　예 녹차에도 카페인이 들어 있다.

▽ **피로**│피곤할 피 疲, 수고로울 로 勞│ 과로로 정신이나 몸이 지쳐 힘듦. 또는 그런 상태.

　예 피로가 쌓인 엄마께 마사지를 해 드렸다.

▽ **통계**│거느릴 통 統, 셀 계 計│ 어떤 현상을 종합적으로 한눈에 알아보기 쉽게 일정한 체계에 따라 숫자로 나타냄. 또는 그런 것. 예 서울시에서 교통 사고 통계 자료를 공개했습니다.

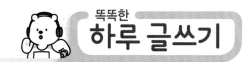

낱말 쓰기

다음 그림을 보고, 카페인 음료를 많이 마시지 말라고 하는 까닭을 빈칸에 각각 쓰세요.

몸이 더 피로해졌고, 두근거림 같은 부작용도 느껴져.

(1) 카페인 음료로 잠을 쫓아도 잠시 후에 더한 ㅍ ㄹ 가 몰려올 수 있다.

(2) 카페인 음료를 많이 마시면 ㅂ ㅈ ㅇ 을 겪을 수 있다.

문장 쓰기

다음 도표를 보고, 보기 에서 알맞은 말을 골라 **1**의 (2)에서 답한 근거를 뒷받침하는 문장을 쓰세요.

보기

아빠 말씀에 따르면   통계 자료에 따르면

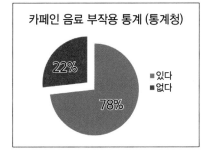

카페인 음료 부작용 통계 (통계청)

22%
78%

■있다
■없다

통계청에서 발표한

청소년 78%가 카페인 음료 부작용을 느낀 적이 있다고 한다.

한 편 쓰기

1과 **2**에서 쓴 내용을 넣어 '카페인 음료를 많이 마시지 말자.'라는 주장에 알맞은 근거를 쓰세요.

첫째, 카페인 음료로 잠을 쫓아도 잠시 후에 ❶ _____.
갑자기 올라간 카페인이나 당분이 감소하면서 심한 피로감을 느끼게 되는 것이다.

둘째, 카페인 음료를 많이 마시면 ❷ _____.
대표적인 부작용으로 불면증, 두통, 심장 두근거림 등이 있다. 통계청에서 발표한 ❸ ____

_____
느낀 적이 있다고 한다.

1
낱말
고쳐쓰기

보기 에서 낱말의 뜻을 잘 읽고, 밑줄 그은 말을 각각 바르게 고쳐 쓰세요.

보기

좇고   목표, 이상, 행복 따위를 추구하고.

쫓고   밀려드는 졸음이나 잡념 따위를 물리치고.

(1) 잠을 <u>좇고</u> 싶다.

(2) 나는 꿈을 <u>쫓고</u> 있다.

2
문장
고쳐쓰기

다음 친구가 고쳐 쓴 문장 처럼 밑줄 그은 부분을 시키는 문장에서 함께 하기를 요청하는 문장으로 고치고, 문장을 따라 쓰세요.

친구가 고쳐 쓴 문장

수업 시간에 스마트폰을 사용하지 <u>마</u>.

↓

수업 시간에 스마트폰을 사용하지 <u>말자</u>.

 힌트 함께 하기를 요청하는 문장을 끝맺을 때에는 주로 '-자', '-ㅂ시다' 등을 써요.

카	페	인	∨	음	료	를	∨	많	이	∨	마	시
지	∨	마	.									

↓

카	페	인	∨	음	료	를	∨	많	이	∨	마	시
지	∨			.								

◉ '편식을 하지 말자.'라는 주장에 대한 근거를 쓰려고 해요. 보기 에서 알맞은 내용을 골라 빈칸에 각각 써넣으세요.

> **보기**
>
> 편식을 하면 우리 몸이 제대로 성장하지 못한다.
>
> 편식을 하면 우리 몸이 건강해진다.
>
> 편식을 하면 우리 몸의 면역력 형성에 꼭 필요한 영양소들을 골고루 섭취할 수 없기 때문이다.
>
> 편식을 하면 우리 몸에 바이러스나 병균이 쉽게 들어올 수 없기 때문이다.

▲ 여러 가지 영양소가 들어 있는 음식의 재료

편식을 하지 말아야 하는 까닭은 다음과 같다.

첫째, ❶ _____.
성장에 필요한 주요 영양소를 골고루 섭취하지 못하기 때문이다. 편식을 하는 경우에는 키 성장이 더디고, 비만과 저체중 등이 더 많이 발생한다는 통계 자료도 있다.

둘째, 면역력이 떨어져 질병에 쉽게 걸리게 된다. ❷ _____

_____

_____. 예를 들어, 비타민 C는 면역 세포를 비롯한 각 세포를 보호하는 역할을 하고, 아연은 몸 안의 효소와 면역 관련 세포의 활동을 돕는다. 그런데 자신이 좋아하는 음식만 먹고 편식을 하면 이러한 영양소가 부족해져 질병에 걸리기 쉬운 상태가 된다.

힌트 ❶에는 주장에 알맞은 근거를 넣고, ❷에는 둘째 근거를 뒷받침하는 내용을 넣어요.

주장을 실천할 수 있는 실천 방법을 써라!

논설문의 본론을 쓸 때에는

주장에 대한 근거를 내세운 후에 그 주장과 관련해

실천할 수 있는 실천 방법을 제시할 수도 있어요.

주장을 실천할 방법을 자세히 제시하면 주장에 대한 설득력을 높일 수 있어요.

▶ 정답 및 해설 4쪽

◉ 그림에 맞는 퍼즐 모양을 찾아 ○표를 하고, 주장에 대한 실천 방법을 쓰는 방법에 맞게 빈칸에 들어갈 낱말을 알아보아요.

○○과 관련해
실천할 수 있는
실천 방법을
제시한다.

표정

상상

주장

 주장에 대한 실천 방법을 생각하며 문장을 따라 쓰세요.

자	꾸	V	잠	이	V	쏟	아	진	다	면	V	카
페	인	V	음	료	보	다	V	이	를	V	닦	는	V
것	이	V	도	움	이	V	된	다	.			

● 다음 만화를 읽고, 논설문에 들어갈 주장에 대한 실천 방법을 쓰세요.

🐹 어휘 풀이

▾ **학용품**|배울 학 學, 쓸 용 用, 물건 품 品| 학습에 필요한 물품. 필기도구, 공책 따위를 통틀어 이름.

　⑩ 문방구에서 <u>학용품</u>을 샀다.

▾ **절약**|마디 절 節, 맺을 약 約| 함부로 쓰지 않고 꼭 필요한 데에만 써서 아낌.

　⑩ 승현이는 <u>절약</u>이 습관이 되었다.

▾ **몽당연필**|납 연 鉛, 붓 필 筆| 많이 깎아 써서 길이가 아주 짧아진 연필.

　⑩ 내 필통에는 <u>몽당연필</u>이 잔뜩 들어 있다.

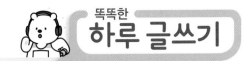
낱말 쓰기

다음 그림을 보고, 학용품을 아껴 쓰는 첫 번째 실천 방법에 맞게 빈칸에 알맞은 말을 쓰세요.

학용품에 이름을 적어 놓자. 그러면 **학용품을** 잃어버리는 일이 줄어들 거야.

이기찬

(1) 학용품에 ㅇ ㄹ 을 적어 놓자.

(2) 그러면 ㅎ ㅇ ㅍ 을 잃어버리는 일이 줄어들어 오래 사용할 수 있다.

문장 쓰기

학용품을 아껴 쓰는 두 번째 실천 방법에 알맞은 말을 보기 에서 골라 빈칸에 각각 쓰세요.

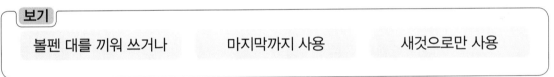

보기

| 볼펜 대를 끼워 쓰거나 | 마지막까지 사용 | 새것으로만 사용 |

(1) 학용품을 　　　　　　　　　　　　　　　　하도록 노력하자.

(2) 예를 들어, 몽당연필에 　　　　　　　　　남은 공책을 잘라 메모지로 사용할 수 있다.

한 편 쓰기

1과 2에서 쓴 문장을 차례대로 넣어 '학용품을 아껴 쓰자.'라는 주장에 대한 실천 방법을 쓰세요.

첫째, 학용품에 이름을 적어 놓자. 그러면 ❶ _____

_____ 할 수 있다.

둘째, 학용품을 ❷ _____.

예를 들어, 몽당연필에 ❸ _____

_____ 사용할 수 있다.

▶ 정답 및 해설 **4**쪽

1
낱말
고쳐쓰기

다음 밑줄 그은 낱말을 보기 의 낱말로 바꾸어 쓰려고 해요. 높임법에 맞게 낱말을 골라 바르게 고쳐 쓰세요.

보기

| 성명 | 성과 이름을 아울러 이르는 말. |
| 성함 | 성과 이름을 아울러 높여 이르는 말. |

(1) 학용품에 내 <u>이름</u>을 적었다.

(2) 여기에 아버지 <u>이름</u>을 적어라.

2
문장
고쳐쓰기

다음 문장의 밑줄 그은 말을 보기 에서 알맞은 말을 골라 바르게 고치고 따라 쓰세요.

보기

| 쓰려면 | 쓰거나 | 쓰도록 |

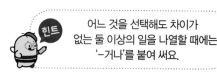
힌트 어느 것을 선택해도 차이가 없는 둘 이상의 일을 나열할 때에는 '-거나'를 붙여 써요.

몽당연필에 볼펜 대를 끼워 <u>쓰면</u> 남은 공책을 잘라 메모지로 사용할 수 있다.

↓

몽	당	연	필	에	V	볼	펜	V	대	를	V	끼
워	V				V	남	은	V	공	책	을	V	잘
라	V	메	모	지	로	V	사	용	할	V	수	V	있
다	.												

● 다음 대화를 읽고, '텔레비전 시청 시간을 줄이자.'라는 주장에 대한 실천 방법을 빈칸에 써 보세요.

텔레비전 시청 시간을 줄이기 위해 다음과 같은 방법들이 도움이 될 수 있다.

　첫째, ❶ _____.
보고 싶은 프로그램을 미리 정해 두면 의미 없는 프로그램에 빠져 텔레비전 시청 시간이 늘어나는 것을 막을 수 있다.

　둘째, ❷ _____.
책을 읽기 시작하면 그 시간만큼 자연스레 텔레비전 시청 시간이 줄어들 것이다. 텔레비전 시청 시간을 줄이면서 책을 통해 지식과 지혜도 얻을 수 있다.

힌트 친구들의 대화를 읽고, 텔레비전 시청 시간을 줄이기 위한 구체적인 실천 방법을 써 보세요.

4일 결론 쓰기

밤톨
얘들아, 내가 쓴 논설문 어때?

달래
이 글의 주장이 뭐였지?

밤톨
'자연을 깨끗이 보호하자.'야. 결론에 주장을 다시 한번 써 놨으니 읽어 봐.

친구들, 논설문의 결론을 써 봐요. 글의 내용을 요약하여 쓰고 주장을 다시 한번 강조해 주면 읽는 사람이 글을 더 잘 이해할 수 있을 거예요.

입력

글을 마무리하는 결론을 써라!

논설문의 결론에서는 글의 내용을 요약하여 쓰고

주장을 다시 한번 강조해서 써요.

주장을 실천하였을 때 나타날 앞으로의 전망 등을 간결하게 쓰는 것도 좋아요.

1
주

● 사다리 타기를 하여 도착한 곳의 낱말을 따라 쓰며, 논설문의 결론을 쓰는 방법을 알아보아요.

결론에서는 글의 내용을 ○○하여 써요.

주장을 다시 한번 ○○해서 써요.

주장을 실천하였을 때 나타날 앞으로의 ○○ 등을 간결하게 써 봐요.

전 망

강 조

요 약

4일 결론 쓰기

● 다음은 논설문의 서론과 본론이에요. 결론에 들어갈 내용을 써 보세요.

교통질서를 잘 지키자

　며칠 전, 버스에서 내린 우리 학교 학생이 횡단보도를 통해 길을 건너지 않고 무단 횡단을 하다 사고가 났다. 편하게 등교하기 위해 교통질서를 지키지 않는 친구들이 의외로 많은데, 안전보다 중요한 것은 없다. 안전을 위해서 교통질서를 잘 지키자.

　우리가 교통질서를 잘 지킨다면 사고를 크게 줄일 수 있다. 한국 교통 안전 공단의 조사에 따르면 사고의 대부분은 운전자와 보행자가 교통질서를 지키지 않아 일어났다. 교통질서를 잘 지키는 것만으로도 사고가 절반 이상 줄어들 것이라고 한다.

　그렇다면 교통질서를 잘 지키려면 어떻게 하면 될까?

　우선, 무단 횡단은 절대 하지 말아야 한다. 그리고 길을 건널 때에는 항상 신호와 교통 상황을 확인하고 건너야 한다. 녹색불이 켜지면 차가 멈추는 것을 확인하고 건너야 하고, 녹색불이 깜빡일 때에는 다음 신호를 기다려 건너야 한다. 급한 마음에 서두르다가 차량과 부딪힐 수 있다.

🐭 어휘 풀이

▼ **횡단보도**|가로 횡 橫, 끊을 단 斷, 걸음 보 步, 길 도 道| 　사람이 가로로 건너다닐 수 있도록 안전표지나 도로 표지를 설치하여 차도 위에 마련한 길.

▼ **무단 횡단**|없을 무 無, 끊을 단 斷, 가로 횡 橫, 끊을 단 斷| 　교통 신호를 지키지 않고 거리를 가로질러 감. 또는 횡단보도가 아닌 곳에서 도로를 가로질러 감.

　　㉑ 비 오는 날 무단 횡단을 하다 사고가 날 뻔 하였다.

▼ **의외**|뜻 의 意, 바깥 외 外|로 　생각이나 기대 또는 예상과 달리. ㉑ 거북이는 의외로 빨리 걸어다닌다.

▼ **보행자**|걸음 보 步, 다닐 행 行, 사람 자 者| 　걸어서 길거리를 다니는 사람. ㉑ 역 주변은 보행자가 많다.

▲ 횡단보도

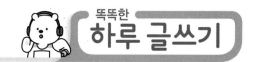
낱말 쓰기

다음은 본론의 글 내용을 요약한 것이에요. 다음 그림을 보고, 빈칸에 알맞은 말을 쓰세요.

대부분의 사고가 교통질서를 지키지 않아서 일어난단다.

교통질서를 지키지 않아 많은 ㅅ ㄱ 가 일어난다.

문장 쓰기

보기 에서 빈칸에 알맞은 말을 모두 골라 이 글의 주장을 강조하는 말을 쓰세요.

> **보기**
>
> 무단 횡단   교통질서   더 무시하는 행동   잘 지키려는 노력

우리의 안전을 위해   를

이 필요하다.

한 편 쓰기

1과 **2**에서 쓴 내용을 넣어 결론 부분인 ㉠ 에 들어갈 내용을 쓰세요.

❶교	통	질	서	를	∨	지	키	지	∨	않	아	∨
많	은	∨				∨				.	❷우	리
의	∨	안	전	을	∨	위	해	∨				∨
	∨					∨				∨		
	.											

1 낱말 고쳐쓰기

다음 문장의 밑줄 그은 낱말 대신 바꿔 쓰기에 알맞은 낱말을 보기 에서 골라 쓰세요.

보기

잘하면　　　　원하면　　　　의하면

　한국 교통 안전 공단의 조사에 <u>따르면</u> 사고의 대부분은 운전자와 보행자가 교통질서를 지키지 않아 일어났다.

→ 한국 교통 안전 공단의 조사에 ☐☐☐ 사고의 대부분은 운전자와 보행자가 교통질서를 지키지 않아 일어났다.

 힌트 '따르면'은 '어떤 경우, 사실이나 기준 따위에 근거하면.'의 뜻으로 쓰였어요. '따르면'과 바꾸어 써도 뜻이 통하는 낱말을 찾아 봐요.

2 문장 고쳐쓰기

다음 문장을 짧은 두 문장으로 나눠 쓰려고 해요. 보기 에서 알맞은 말을 골라 밑줄 그은 부분을 고치고, 문장을 따라 쓰세요.

보기

많다. 그리고　　　　많다. 그런데　　　　많다. 그래서

 교통질서를 지키지 않는 친구들이 의외로 <u>많은데,</u> 안전보다 중요한 것은 없다.

↓

교	통	질	서	를	∨	지	키	지	∨	않	는	∨
친	구	들	이	∨	의	외	로	∨				
∨	안	전	보	다	∨	중	요	한	∨	것	은	∨
없	다	.										

똑똑한 하루 글쓰기 마무리 내 생각 쓰기로 하루 마무리

○ 다음 논설문의 결론 부분에 알맞은 내용을 보기 에서 골라 써넣으세요.

보기

> 책은 우리에게 세상을 살아가고 문제를 해결하는 데 중요한 지식과 지혜를 전해 준다.
>
> 책은 우리를 더 나은 모습으로 변화시키고, 꿈을 이루는 데 도움을 준다.

책벌레가 되자

　책을 읽는다는 것은 자신의 미래를 만든다는 것과 같은 뜻이다. 미국의 시인이자 사상가였던 에머슨의 말처럼 책은 우리가 더 나은 미래를 꿈꿀 수 있게 해 준다. 우리는 책벌레가 되어 책을 읽어야 한다. 책을 읽어야 하는 이유는 다음과 같다.

　첫째, 책을 통해 지식을 쌓을 수 있다. 폭넓게 쌓은 지식은 우리가 세상을 살아가는 밑거름이 되어 준다.

　둘째, 책은 사고력과 상상력을 길러 주며, 사고력과 상상력은 사람을 지혜롭게 만든다. 책을 많이 읽으면 우리에게 문제가 닥쳤을 때 이를 해결할 수 있는 힘이 생길 것이다.

　이처럼 우리에게 유익한 책을 잘 읽기 위해서는 자신의 수준에 맞는 책을 읽어야 하고, 계획을 세워 꾸준히 읽어야 한다.

우리 모두 책을 많이 읽는 책벌레가 되자.

힌트 결론에 들어갈 내용 중에서 글의 내용을 요약한 문장이나 주장에 대한 실천 방법을 실천하였을 때 앞으로의 전망을 쓴 문장을 골라 쓰면 돼요. 어떤 내용을 써도 모두 답이 될 수 있어요.

논설문 쓰기

기찬
술술TV에도 심한 말로 악성 댓글을 다는 사람들이 있어.

달래
악성 댓글을 보면 하루 종일 기분이 나빠. 문제가 정말 심각해.

글봇
우리도 술술님이 말씀하신 주제로 논설문을 써 보자.

오늘은 '악성 댓글을 달지 말자.'라는 주제로 논설문을 써 볼게요.

을 써라.

논설문을 쓸 때 서론에서는 문제 상황을 밝히고 그에 대한 자신의 주장을 써요.

본론에서는 주장의 근거와 그 근거를 뒷받침하는 내용을 써요.

주장에 대한 실천 방법을 써도 좋아요.

결론에서는 글의 내용을 요약하고 주장을 다시 한번 강조하며 마무리해요.

● 논설문을 쓰는 방법에 맞게 빈칸에 알맞은 말을 쓰고, 그 말을 퍼즐판에서 찾아 ◯표를 하세요.

1주

❶ ☐ ☐ 에서는
문제 상황을 밝히고,
그에 대한 자신의 주장을 써요.

본론에서는 주장의 ❷ ☐ ☐ 와
그 근거를 뒷받침하는 내용을 써요.
주장에 대한 실천 방법을 써도 좋아요.

지	구	근	거
남	서	대	문
아	론	결	요
식	바	수	약

결론에서는 글의 내용을 ❸ ☐ ☐ 하고
주장을 다시 한번 강조하며 마무리해요.

5일 논설문 쓰기

● 다음 논설문의 개요를 바탕으로 논설문을 쓰세요.

서론

문제 상황	온라인 게시판 글에 악성 댓글을 쓰는 사람들이 많다.
주장	악성 댓글을 쓰지 말자.

본론

근거
첫째, 악성 댓글 때문에 괴로워하는 사람들이 많다.
둘째, 악성 댓글을 쓰면 법으로 처벌받을 수 있다.

자료

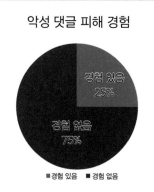

악성 댓글 피해 경험

경험 있음 25%
경험 없음 75%

■경험 있음 ■경험 없음

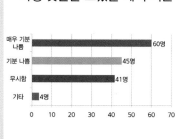

악성 댓글을 보았을 때의 기분

매우 기분 나쁨 60명
기분 나쁨 45명
무시함 41명
기타 4명

▲ 4명 중 1명은 악성 댓글에 피해를 입은 일이 있다고 한다.

▲ 자신의 글에 달린 악성 댓글을 본 학생들 대부분이 기분이 나빴다고 답하였다.

〈천재초등학교 조사 자료〉

실천 방법
첫째, 댓글을 쓰기 전에 자신의 댓글을 읽을 상대의 기분을 생각해 본다.
둘째, 얼굴을 마주한 상대에게도 할 수 있는 말인지 생각해 보고 댓글을 단다.

결론

내용 요약	㉠
주장 강조	악성 댓글을 쓰지 말고 바른 댓글을 쓰자.

어휘 풀이

▼**악성**|악할 악 惡, 성품 성 性| 악한 성질. 예 연예인에 대한 <u>악성</u> 소문이 퍼지고 있습니다.

▼**댓글** 인터넷에 오른 글에 대하여 짤막하게 답하여 올리는 글. 예 게시판에 쓴 글에 댓글이 달렸다.

▼**처벌**|곳 처 處, 벌줄 벌 罰| 형벌에 처함. 또는 그 벌. 예 도둑은 물건을 훔친 일로 <u>처벌</u>을 받았다.

▼**마주한** 서로 똑바로 향하여 대한. 예 아라는 <u>마주한</u> 친구의 얼굴을 똑바로 쳐다보았다.

낱말 쓰기

다음은 논설문의 서론에 들어갈 내용이에요. 빈칸에 알맞은 말을 쓰세요.

▲ 게시 글에 달린 악성 댓글

온라인 게시판 글에 악성 댓글을 쓰는 사람들이 많다. 악성 ㄷ ㄱ 을 쓰지 말자.

문장 쓰기

다음은 본론에 들어갈 주장에 대한 근거예요. 빈칸에 알맞은 말을 보기 에서 각각 골라 쓰세요.

> **보기**
>
> 피해를 입은 일 　　　　법으로 처벌받을

❶ 첫째, 악성 댓글 때문에 괴로워하는 사람들이 많다. 통계에 따르면 우리 학교 학생 4명 중 1명은 악성 댓글에 ＿＿＿＿＿＿＿＿ 이 있으며, 피해 학생들 대부분이 악성 댓글을 보았을 때 기분이 나빴다고 답하였다.

❷ 둘째, 악성 댓글을 쓰면 ＿＿＿＿＿＿＿＿ 수 있다. 악성 댓글을 달아 명예 훼손죄로 처벌을 받는 사람의 숫자가 매년 늘고 있다고 한다.

한 편 쓰기

⑦ 에 들어갈 알맞은 내용을 보기 에서 골라 논설문의 결론을 완성하세요.

> **보기**
>
> 악성 댓글이 꼭 나쁜 것만은 아니며, 우리에게 즐거움을 주기도 한다.
>
> 악성 댓글은 읽는 사람이나 쓰는 사람 모두에게 심각한 피해를 남긴다.

＿＿＿＿＿＿＿＿＿＿＿＿＿＿＿＿＿＿＿＿＿＿＿＿＿＿

＿＿＿＿＿＿＿＿＿＿＿＿＿＿ 그러므로 악성 댓글을 쓰지 말고 바른 댓글을 쓰자.

1
낱말
고쳐쓰기

다음 밑줄 그은 낱말 대신 바꿔 쓰기에 알맞은 우리말을 보기 에서 골라 바꿔 쓰세요.

보기

| 댓글 | 답글 |

 힌트 두 낱말 모두 '게시판에 올라 있는 글에 대해 덧붙이는 짤막한 글.'을 뜻하는 외래어 '리플(reply)' 대신 쓸 수 있는 우리말입니다.

 얼굴을 마주한 상대에게도 할 수 있는 말인지 생각해 보고 리플을 단다.

→ 얼굴을 마주한 상대에게도 할 수 있는 말인지 생각해

보고 ☐☐ 을 단다.

2
문장
고쳐쓰기

다음 친구가 고쳐 쓴 글 과 같이 두 문장을 하나로 합쳐서 한 문장으로 만들고, 문장을 따라 쓰세요.

친구가 고쳐 쓴 글

비속어를 쓰지 말자. 그리고 바른 말을 쓰자.

↓

비속어를 쓰지 말고 바른 말을 쓰자.

 힌트 비슷한 두 문장을 한 문장으로 합쳐 쓸 때에는 앞 문장의 끝에 '-고'를 붙여 이어 줄 수 있어요.

 악성 댓글을 쓰지 말자. 그리고 바른 댓글을 쓰자.

↓

| 악 | 성 | ∨ | 댓 | 글 | 을 | ∨ | 쓰 | 지 | ∨ | | | ∨ |
| 바 | 른 | ∨ | 댓 | 글 | 을 | ∨ | 쓰 | 자 | . | | | |

● 다음 주제 중 한 가지를 골라 논설문을 써 보세요.

유행을 따라 값비싼 옷을
사지 말자

음식을 남기지 말자

제목:

 '서론-본론-결론'에 들어갈 내용을 생각하며
논설문을 써 봐요.

생활 어휘 다음 만화를 보며 속담의 뜻을 알아보고, 상황에 맞게 속담을 써 보세요.

바늘 도둑이 소도둑 된다

속담의 뜻을 알아봐요!

바늘 도둑이 소도둑 된다

이 속담은 "자그마한 나쁜 일도 자꾸 해서 버릇이 되면 나중에는 큰 죄를 저지르게 된다."라는 뜻이랍니다.

이제 이 속담을 넣어 상황에 맞게 써 볼까요?

"□□□□□□□□□□□□□"라는 속담처럼 작은 잘못을 저지르던 도둑은 점차 큰 범죄를 저지르게 되었다.

◉ 예지는 「책벌레가 되자」라는 논설문을 읽고 용돈으로 책을 사 읽기로 했어요. 어떤 낱말의 뜻인지
알맞은 답을 찾아 따라 쓰며 서점에 가는 길을 선으로 이어 보세요.

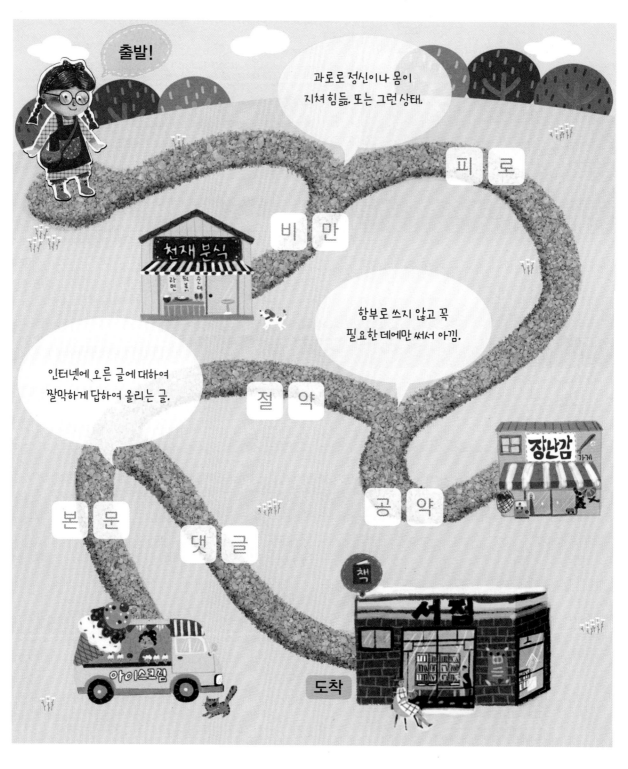

 창의 1주에 나왔던 **낱말과 그 뜻**을 익히며 서점까지 가는 길을 찾아 봅니다.

▶ 정답 및 해설 7쪽

◉ '상대가 싫어하는 별명은 부르지 말자.'라는 주장의 논설문을 쓰려고 해요. 다음 코딩 명령을 따라가며 만난 친구들의 이야기를 바탕으로 주장에 알맞은 근거를 쓰세요.

코딩 명령

▶ 출발에서 이동을 시작했을 때
→ 방향으로 3칸 이동하기
↑ 방향으로 2칸 이동하기
← 방향으로 3칸 이동하기

코딩 명령 풀이
출발 에서 오른쪽으로 세 칸,
위쪽으로 두 칸,
왼쪽으로 세 칸 이동해요.

싫어하는 별명을 부르면 친구와 ☐☐☐☐☐ 수 있다. 그리고

싫어하는 별명은 친구에게 ☐☐를 준다.

 코딩 코딩 명령에 따라 이동하며 **논설문의 주장에 맞는 근거**를 알아봅니다.

● 카페인이 들어 있지 않은 음식을 먹으려고 해요. 다섯 고개 놀이를 통해 빈칸에 들어갈 카페인이 들어 있지 않은 음식을 보기 에서 골라 ○표를 하세요.

고개	질문	대답
	손으로 집어 먹는 음식인가요?	아니요. 마시는 음료예요.
	먹으면 쓴맛이 나나요?	아니요. 고소한 맛이 나요.
	색이 초록색인가요?	아니요. 흰색이에요.
	단백질과 칼슘 등 영양소가 풍부한가요?	예, 맞아요.
	젖소에게서 얻을 수 있는 음식인가요?	예, 맞아요.
	설명하는 것은 [ ] 인가요?	예, 맞습니다.

보기

녹차	초콜릿	커피	우유

 창의 다섯 가지 질문과 대답을 하며 놀이를 해 보고, 설명하는 음식의 특징을 살펴 **카페인이 없는 음식**을 찾아봅니다.

▶ 정답 및 해설 7~8쪽

1주

● 다음 만화를 읽고, 전교 학생 중 악성 댓글 피해 경험이 있는 학생은 몇 명인지 계산해서 빈칸에 알맞은 숫자를 쓰세요.

  조사한 학생의 수는 [   ] 명이고, 그중에서 절반인 [   ] %의 학생들이 악성 댓글 피해 경험이 있다고 하였으므로, 악성 댓글 피해 경험이 있는 학생의 수는 [   ] 명입니다.

융합
국어+수학
친구들이 나누는 대화를 통해 **악성 댓글 피해의 심각성**을 생각하며, 악성 댓글 피해 경험이 있는 친구들이 몇 명인지 **백분율로 계산**해 봅니다.

1 다음 설명에 맞는 글의 종류에 ○표를 하세요.

> 어떤 문제에 대해 자신의 주장을 논리적으로 내세워 읽는 사람을 설득하기 위해 쓴 글이다.

(설명문 , 논설문)

[2~3] 다음 글을 읽고, 물음에 답하세요.

> 오늘 옆자리에 앉은 선미가 나를 '딸기야.' 하고 부르기에 처음에는 모르는 척을 하였다. 그런데도 선미가 나를 계속 별명으로 부르자 친구들이 모두 나를 쳐다보는 것 같았다. 내 얼굴은 점점 붉어져 빨간 딸기처럼 변해 터질 것 같아졌고, 눈물이 나올 것 같았다.
>
> 요즘 이렇게 상대의 기분을 생각하지 않고 싫어하는 별명으로 부르는 친구들이 많아졌다. 상대가 싫어하는 별명은 부르지 않았으면 좋겠다.

2 이 글에 나타난 문제 상황을 알맞게 말한 친구의 이름을 쓰세요.

> **윤길:** 학교에서 친구들끼리 대화가 너무 없다.
> **효선:** 상대의 기분을 생각하지 않고 싫어하는 별명으로 부르는 친구들이 많다.

( )

글쓰기

3 다음은 2의 문제 상황을 해결하기 위해 쓴 논설문의 주장이에요. 알맞은 말을 **보기**에서 골라 문장을 완성하고 따라 쓰세요.

> **보기**
>
> 노래는   별명은

상	대	가	V	싫	어	하
는	V			V	부	르
지	V	말	자	.		

[4~5] 다음 글을 읽고, 물음에 답하세요.

> 첫째, 카페인 음료로 잠을 쫓아도 잠시 후에 더한 피로가 몰려올 수 있다. 갑자기 올라간 카페인이나 당분이 감소하면서 심한 피로감을 느끼게 되는 것이다.
>
> 둘째, 카페인 음료를 많이 마시면 부작용을 겪을 수 있다. 대표적인 부작용으로 불면증, 두통, 심장 두근거림 등이 있다. 통계청에서 발표한 통계 자료에 따르면 청소년 78%가 카페인 음료 부작용을 느낀 적이 있다고 한다.

4 이 글의 근거에 어울리는 주장이 되도록 빈칸에 알맞은 말을 찾아 쓰세요.

· □□□□□ 를 많이 마시지 말자.

5 다음 중 4에서 답한 주장에 대해 추가할 근거로 알맞은 것에 ○표를 하세요.

(1) 카페인 음료에는 스트레스 해소와 기분 전환 효과가 있다. ( )

(2) 카페인 음료를 많이 마시면 칼슘 섭취를 방해받아 성장이 느려질 수 있다. ( )

6 다음 중 '학용품을 아껴 쓰자.'라는 주장에 알맞은 실천 방법을 말한 친구의 이름을 쓰세요.

> **수진**: 학용품에 이름을 적어 놓자. 그러면 학용품을 잃어버리는 일이 줄어들어 오래 사용할 수 있을 거야.
>
> **정호**: 학용품은 항상 새것을 사용하자. 깨끗한 새 학용품을 쓰면 기분까지 좋아져.

(   )

7 다음 뜻을 가진 낱말을 골라 따라 쓰세요.

> 함부로 쓰지 않고 꼭 필요한 데에만 써서 아낌.

낭 비   절 약

8 논설문의 구성 중 다음 내용이 들어가는 부분에 ○표를 하세요.

글의 내용을 요약하여 써.
밤톨

주장을 다시 한번 강조해서 써.
기찬

(1) 서론 (   )
(2) 본론 (   )
(3) 결론 (   )

[9~10] 다음 글을 읽고, 물음에 답하세요.

> 온라인 게시판 글에 악성 ㉠댓글을 쓰는 사람들이 많다. 악성 댓글을 쓰지 말자.
>
> 악성 댓글은 읽는 사람과 쓰는 사람 모두에게 ㉡피해를 준다.
>
> 첫째, 악성 댓글 때문에 괴로워하는 사람들이 많다. 통계에 따르면 우리 학교 학생 4명 중 1명은 악성 댓글에 피해를 입은 일이 있으며, 피해 학생들 대부분이 악성 댓글을 보았을 때 기분이 나빴다고 답하였다.
>
> 둘째, 악성 댓글을 쓰면 법으로 ㉢처벌받을 수 있다. 악성 댓글을 달아 명예 훼손죄로 처벌을 받는 사람의 숫자가 매년 늘고 있다고 한다.
>
> ㉣

9 ㉠~㉢ 중 다음 뜻에 알맞은 낱말의 기호를 쓰세요.

형벌에 처함. 또는 그 벌.

(   )

글쓰기

10 다음 글의 빈칸에 알맞은 말을 보기 에서 골라 써서 ㉣ 안에 들어갈 결론을 완성하세요.

> **보기**
>
> 악성 댓글   바른 댓글

> ☐☐☐☐은 읽는 사람이나 쓰는 사람 모두에게 심각한 피해를 남긴다. 그러므로 악성 댓글을 쓰지 말고 바른 댓글을 쓰자.

2주

2주에는 무엇을 공부할까? ❶

여러 가지 형식으로
독서 감상문을
써 보자!

1-1 일기 형식으로 독서 감상문을 쓸 때에 들어갈 내용으로 알맞지 <u>않은</u> 것을 골라 ×표를 하세요.

(1) 책 내용   (   )

(2) 날짜와 요일, 날씨   (   )

(3) 책을 읽게 된 까닭   (   )

(4) 친구들과 놀았던 일   (   )

(5) 책에 대한 생각이나 느낌   (   )

1-2 다음은 일기 형식으로 독서 감상문을 쓴 것이에요. 빈칸에 들어갈 내용으로 알맞은 것에 ○표를 하세요.

> 제목: 『혹부리 영감』을 읽고
> 표지 그림이 재미있어 보여서 『혹부리 영감』을 읽게 되었다. 착한 혹부리 영감이 우연히 도깨비를 만나 혹을 떼고, 이 소문을 듣고 자기 혹도 떼려던 욕심쟁이 혹부리 영감이 착한 혹부리 영감의 혹까지 붙이게 되었다는 이야기였다.
> 이 책을 읽고 지나친 욕심을 부리지 않아야겠다는 생각이 들었다.

욕심쟁이 혹부리 영감에게

20◯◯년 6월 12일 토요일
날씨: 맑음

▶ 정답 및 해설 9쪽

2-1 시 형식으로 독서 감상문을 쓰는 방법에 대해 알맞게 말한 친구의 이름에 ○표를 하세요.

인상 깊었던 장면이나 인물의 마음이 잘 드러나도록 짧고 운율이 있는 말로 써.

밤톨

책에서 일어난 일을 '누가, 언제, 어디에서, 무엇을, 어떻게, 왜'로 정리하여 써.

달래

책에 나오는 인물을 받을 사람으로 정하고 첫인사, 전하고 싶은 말, 끝인사, 쓴 날짜, 쓴 사람의 차례로 써.

기찬

2-2 다음은 어떤 형식으로 독서 감상문을 쓴 것인지 알맞은 것을 골라 따라 쓰세요.

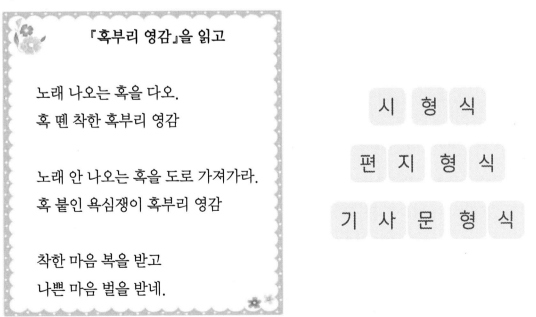

『혹부리 영감』을 읽고

노래 나오는 혹을 다오.
혹 뗀 착한 혹부리 영감

노래 안 나오는 혹을 도로 가져가라.
혹 붙인 욕심쟁이 혹부리 영감

착한 마음 복을 받고
나쁜 마음 벌을 받네.

시 형 식

편 지 형 식

기 사 문 형 식

일기 형식으로 쓰기

달래

기찬아, 우리 오늘 마침 『신기한 독』을 읽었잖아.

기찬

그 책의 독서 감상문을 일기 형식으로 써 보자는 말이지?

밤톨

나도 얼른 읽고 올게. 기다려!

– 밤톨 님이 방을 나가셨습니다. –

독서 감상문을 여러 가지 형식으로 쓸 수 있다는 사실, 알고 있나요? 오늘은 독서 감상문을 일기 형식으로 써 볼 거예요.

일기 형식으로 독서 감상문을 써라!

독서 감상문은 책을 읽고 책을 읽게 된 까닭, 책 내용,

책을 읽으면서 든 생각이나 느낌 등을 쓴 글이에요.

일기 형식으로 독서 감상문을 쓸 때에는

날짜와 요일, 날씨를 먼저 쓰고, 제목을 쓴 다음 책을 읽게 된 까닭과

책 내용, 책에 대한 생각이나 느낌 등을 쓰면 돼요.

◉ 사다리 타기를 하여 도착한 곳의 낱말을 따라 쓰며, 일기 형식으로 독서 감상문을 쓰는 방법을 알아
  보아요.

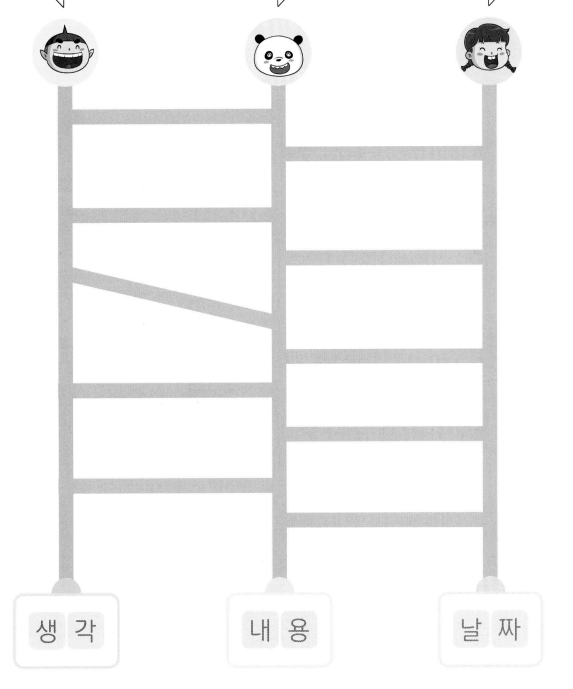

독서 감상문은 책을 읽고
책을 읽게 된 까닭, 책 ○○,
책을 읽으면서 든 생각이나
느낌 등을 쓴 글이에요.

일기 형식으로
독서 감상문을 쓸 때에는
○○와 요일,
날씨를 먼저 써요.

그리고 제목을 쓴 다음
책을 읽게 된 까닭과
책 내용, 책에 대한 ○○이나
느낌 등을 쓰면 돼요.

생 각

내 용

날 짜

일기 형식으로 쓰기

● 다음 만화를 읽고, 일기 형식으로 독서 감상문을 쓰세요.

🐹 **어휘 풀이**

▼ **대낮** 환히 밝은 낮. 예 조명이 켜지자 컴컴했던 경기장이 대낮처럼 밝아졌다.

▼ **형식**|형상 형 形, 법 식 式| 일을 할 때의 일정한 절차나 양식 또는 한 무리의 사물을 특징짓는 데에 공통적으로 갖춘 모양. 예 설명하는 글은 처음, 가운데, 끝의 형식으로 쓴다.

▼ **김** 어떤 일의 기회나 계기. 예 약국에 가는 김에 약국 옆에 있는 문구점도 들렀다.

낱말 쓰기

기찬이가 『양치기 소년』의 내용을 정리할 때, 빈칸에 알맞은 낱말을 쓰세요.

> 늘대가 나타났다고
> 또 거짓말을 하는 거겠지.

양치기 소년이 늘대가 나타났다고 ㄱ ㅈ

ㅁ 을 했다가 진짜 늘대가 나타났을 때 아무도

믿지 않았다는 내용의 이야기이다.

문장 쓰기

『양치기 소년』을 읽고, 기찬이가 어떤 생각을 하였을지 보기 의 말을 모두 이용하여 쓰세요.

> **보기**
>
> 깨는   믿음을   거짓말로   친구의

나는

행동은 하지 말아야겠다고 생각했다.

한 편 쓰기

1과 **2**에서 답한 내용을 넣어 일기 형식의 독서 감상문을 완성하세요.

20○○년 7월 13일 화요일	날씨: 맑음

제목: 『양치기 소년』을 읽고

　달래에게 거짓말을 하며 장난을 쳤는데 달래가 나한테 양치기 소년 같다고 했다. 달래의 말을 듣고 예전에 읽었던 『양치기 소년』이 생각나서 다시 읽어 보았다.

　이 책은 양치기 소년이 ❶ _____

_____는

내용의 이야기이다.

　나는 ❷ _____

_____ 생각했다.

1
낱말
고쳐쓰기

다음 밤톨의 말에서 밑줄 그은 낱말과 바꾸어 쓸 수 있는 낱말을 보기 에서 골라 쓰세요.

보기

| 별다르게 | 다른 것과 특별히 다르게. |
| 평범하게 | 뛰어나거나 색다른 점이 없이 보통이게. |

아직 대낮인데 벌써 일기 쓰는 거야? <u>특별하게</u> 겪은 일이라도 있어?

특별하게
↓

☐ ☐ ☐ ☐

2
문장
고쳐쓰기

다음 친구가 고쳐 쓴 문장 과 같이 밑줄 그은 말을 바꾸어 보고, 문장을 따라 쓰세요.

친구가 고쳐 쓴 문장

달래가 나한테 양치기 소년 <u>같다고 해서</u> 이 책이 생각난 김에 다시 읽어 봤지.

↓

달래가 나한테 양치기 소년 <u>같대서</u> 이 책이 생각난 김에 다시 읽어 봤지.

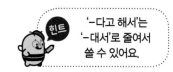

힌트 '−다고 해서'는 '−대서'로 줄여서 쓸 수 있어요.

배가 <u>아프다고 해서</u> 며칠 가방을 들어 줬는데 알고 보니 새빨간 거짓말이었던 거야!

↓

배	가	∨				∨	며	칠	∨	가	방
을	∨	들	어	∨	줬	는	데	∨	알	고	∨	보	니	∨
새	빨	간	∨	거	짓	말	이	었	던	∨	거	야	!

● 다음 대화를 읽고, 『신기한 독』의 독서 감상문을 일기 형식으로 쓰려고 해요. 빈칸에 알맞은 말을 써 넣으세요.

달래가 빌려준 『신기한 독』을 읽었는데 정말 재미있었어.

어떤 내용인데?

한 농사꾼에게 무엇이든 넣으면 똑같은 것이 나오는 신기한 독이 생겼어. 탐이 난 원님이 이 독을 빼앗아 갔는데, 실수로 독 안에 원님의 아버지가 빠진 거야. 여러 명의 아버지가 나와 서로 싸우다가 독이 그만 깨져 버렸대.

아이고, 원님은 벌을 받은 거로구나.

응. 욕심을 부리다가 벌을 받은 원님을 보니 통쾌하더라고.

20○○년 7월 14일 수요일	날씨: 흐림

제목: 『신기한 독』을 읽고

달래가 『신기한 독』이라는 책을 재미있게 읽었다며 나에게 빌려주었다.

❶ _____

_____ 탐이 난 원님이 이 독을 빼앗아 갔는데, 실수로 독 안에 원님의 아버지가 빠졌고 여러 명의 아버지가 나와 서로 싸우다가 독이 깨져 버렸다는 내용의 이야기였다.

❷ _____

 힌트 밤톨이가 책 내용을 말한 부분과 책에 대한 생각이나 느낌을 말한 부분을 찾아 차례대로 정리해 보아요.

편지 형식으로 쓰기

기찬
『심청전』에 나오는 심청이에게 편지를 써야겠다.

밤톨
난 『심청전』을 쓴 글쓴이에게 편지 써야지.

글봇
이 이야기는 글쓴이가 밝혀지지 않았는데……

독서 감상문은 편지 형식으로도 쓸 수 있어요. 편지를 보내고 싶은 책 속의 인물이나 글쓴이를 떠올려 봐요.

I 😊 입력

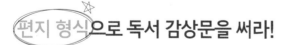 으로 독서 감상문을 써라!

편지 형식으로 독서 감상문을 쓸 때에는

책에 나오는 인물이나 책을 쓴 글쓴이를 받을 사람으로 정하고,

첫인사, 전하고 싶은 말, 끝인사, 쓴 날짜, 쓴 사람의 차례로 쓰면 돼요.

이때, 책을 읽게 된 까닭, 책 내용, 책에 대한 생각이나 느낌을 말하듯이 써 보아요.

◉ 편지 형식으로 독서 감상문을 쓰는 방법에 맞게 빈칸에 알맞은 말을 쓰고, 퍼즐판에서 찾아 ◯표를 하세요.

2주

책에 나오는 ❶ ⬜⬜ 이나
책을 쓴 글쓴이를 받을 사람으로 정해요.

첫인사, 전하고 싶은 말, ❷ ⬜⬜⬜,
쓴 날짜, 쓴 사람의 차례로 쓰면 돼요.

말	하	듯	이
씀	끝	편	지
소	인	독	서
식	사	인	물

책을 읽게 된 까닭, 책 내용, 책에 대한 생각이나
느낌을 ❸ ⬜⬜⬜ 써 보아요.

● 『크리스마스 선물』을 읽고 쓴 독서 감상문을 편지 형식으로 바꾸어 쓰세요.

『크리스마스 선물』을 읽고

두 남녀가 서로를 따뜻하게 안고 있는 표지 그림을 보고 어떤 내용의 책인지 궁금해져서 읽게 되었다.

『크리스마스 선물』은 서로를 몹시 사랑하지만 무척 가난했던 한 부부의 이야기이다. 크리스마스 전날, 델라는 자신의 소중한 머리카락을 잘라 남편인 짐의 시곗줄을 마련한다. 그러나 선물을 받은 짐은 당황한다. 왜냐하면 자신은 아끼던 시계를 팔아 델라가 갖고 싶어 했던 머리핀을 준비했기 때문이다. 델라와 짐은 잠시 멍해 있었지만 서로의 깊은 사랑을 깨닫고 더 행복한 크리스마스를 맞이한다.

나는 델라와 짐이 받은 선물이 당장 쓸 수도 없고 °어마어마하게 좋은 선물도 아니지만 세상에서 가장 °값진 것이라는 생각이 들었다. 델라와 짐의 이야기를 통해 °진정한 사랑이 무엇인지 다시 생각해 볼 수 있었고, 내 마음이 따뜻해지는 것도 느낄 수 있었다.

🐻 어휘 풀이

▾ **어마어마하게** 매우 놀랍게 엄청나고 굉장하게.
　　예 주말이라 놀이공원에 사람들이 <u>어마어마하게</u> 많았다.
▾ **값진** 물건 따위가 값이 많이 나갈 만한 가치가 있는.
　　예 상자 안에는 <u>값진</u> 귀금속이 들어 있었다.
▾ **진정**|참 진 眞, 바를 정 正|**한** 참되고 올바른.
　　예 나는 네 <u>진정한</u> 친구야.

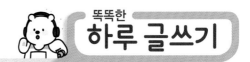

낱말 쓰기

1
단계

『크리스마스 선물』의 내용에 맞게 빈칸에 알맞은 낱말을 각각 쓰세요.

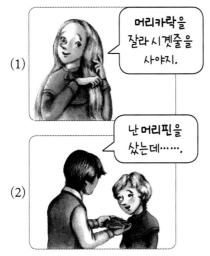

(1) 머리카락을 잘라 시곗줄을 사야지.

델라는 ㅁ ㄹ ㅋ ㄹ 을 잘라 짐에게 줄 시곗줄을 샀다.

(2) 난 머리핀을 샀는데…….

짐은 시계를 팔아 델라에게 줄 ㅁ ㄹ ㅍ 을 샀다.

문장 쓰기

2
단계

1의 내용을 바탕으로 델라와 짐에게 전하고 싶은 말을 보기 의 말을 모두 이용하여 쓰세요.

보기

의미를   사랑의   일깨워

진정한   주고, 내 마음을 따

뜻하게 해 줘서 고마워요.

한 편 쓰기

3
단계

1과 **2**에서 답한 내용을 넣어 독서 감상문을 편지 형식으로 바꾸어 쓰세요.

> 델라와 짐에게
> 안녕하세요? 저는 둘의 모습이 담긴 표지 그림을 보고 이 책을 읽게 되었어요.
>
> 델라는 ❶ _____을 샀고,
>
> 짐은 ❷ _____을 샀죠. 서로를
>
> 깊이 생각하는 둘의 모습을 보고 저는 큰 감동을 받았어요. 진정한 ❸ _____
>
> _____
>
> 그럼 안녕히 계세요.
>
>   20○○년 ○○월 ○○일 / ○○○ 씀

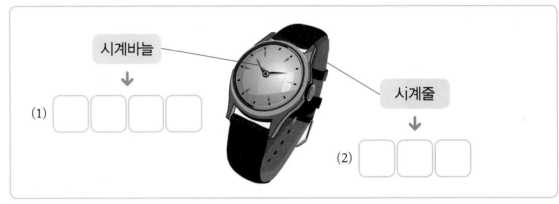

1 다음 그림에서 가리키는 낱말을 각각 바르게 고쳐 쓰세요.

낱말
고쳐쓰기

시계바늘
↓

(1) ☐ ☐ ☐ ☐

시i계줄
↓

(2) ☐ ☐ ☐

힌트
'시계'에 '바늘' 또는 '줄'을 합해
쓸 때에는 'ㅅ' 받침을 넣어 써야 해요.

2 다음 문장에서 밑줄 그은 부분을 바르게 고치고, 문장을 따라 쓰세요.

문장
고쳐쓰기

나는 델라와 짐이 받은 선물이 당장 쓸 수도 없고 어마 어마 하게 좋은 선물도 아니지만 세상에서 가장 갑진 것이라는 생각이 들었다.

↓

나	는	∨	델	라	와	∨	짐	이	∨	받	은	∨
선	물	이	∨	당	장	∨	쓸	∨	수	도	∨	없	고	∨
						∨	좋	은	∨	선	물	도	∨
아	니	지	만	∨	세	상	에	서	∨	가	장	∨
	∨	것	이	라	는	∨	생	각	이	∨	들	었	다	.

◉ 다음은 『저승에 있는 곳간』의 내용이에요. 빈칸에 알맞은 말을 써넣어 편지 형식으로 독서 감상문을 쓰세요.

덕진 아가씨에게

안녕하세요? 저는 얼마 전에 도서관에서 『저승에 있는 곳간』을 읽었어요.

원님이 갑자기 쌀 삼백 석을 준 까닭이 궁금하진 않았나요? 저승에 간 원님이 다시

❶ _____ 했대요.

남에게 덕을 베풀지 않아 저승 곳간에 볏짚 한 단밖에 없었던 원님은 다행히 덕진 아가씨

의 ❷ _____ 이승으로 돌

아올 수 있었지요.

덕진 아가씨가 원님에게 받은 쌀 삼백 석을 다시 마을 사람들을 위해 쓰는 것에 정말 감

동을 받았어요. 저도 덕진 아가씨처럼 베푸는 삶을 살고 싶어요. 이웃에게 베풀수록 어딘

가에 그만큼의 덕이 쌓일 거라는 깨달음을 줘서 고마워요.

❸ _____

20○○년 ○○월 ○○일

○○○ 씀

힌트 만화를 참고하여 ❶, ❷에 들어갈 말을
앞뒤의 내용과 자연스럽게 이어지도록 쓰고,
❸에는 알맞은 끝인사를 써 봐요.

3일 기사문 형식으로 쓰기

기찬
난 『개구리 왕자』의 독서 감상문을 기사문 형식으로 써 보려고.

판판
어떤 일에 대해 쓸 거야?

기찬
공주가 던진 개구리가 왕자로 변한 사건을 쓸 거야.

오늘은 독서 감상문을 기사문 형식으로 써 볼까요?
자신이 책에 나오는 사건 현장에 있다고 생각하며
기사문을 쓴다면 더 재미있을 거예요.

기사문 형식으로 독서 감상문을 써라!

기사문 형식으로 독서 감상문을 쓸 때에는

자신이 책에 나오는 사건 현장에 있다고 생각하며 쓰는 것이 좋아요.

책에서 중요한 내용, 많은 사람이 관심을 가질 만한 내용 등을 찾아보고,

육하원칙에 맞게 기사문을 쓴 다음 어울리는 제목도 붙여 봐요.

'육하원칙'은 '누가, 언제, 어디에서, 무엇을, 어떻게, 왜'를 말해요.

▶ 정답 및 해설 11쪽

● 그림에 맞는 퍼즐 모양을 찾아 ◯표를 하고, 기사문 형식으로 독서 감상문을 쓰는 방법을 알아보아요.

동서남북

공공질서

책에서 중요한 내용, 많은 사람이 관심을 가질 만한 내용 등을 ◯◯◯◯에 맞게 쓴다.

육하원칙

2
주

기사문 형식으로 독서 감상문을 쓰는 방법을 생각하며 문장을 따라 쓰세요.

공	주	가	∨	어	제	∨	오	후	,	성	에	서	∨
개	구	리	를	∨	던	지	자	∨	개	구	리	가	∨
왕	자	로	∨	변	한	∨	사	건	이	∨	있	었	다	.
왕	자	에	게	∨	걸	렸	던	∨	마	법	이	∨	풀
렸	기	∨	때	문	이	었	다	.

◉ 다음 『홍길동전』의 내용을 보고, 기사문 형식으로 독서 감상문을 쓰세요.

해인사의 재물을 빼앗은 홍길동은 가난한 백성들을 도와주는 '활빈당'을 만들었다.

홍길동과 도적들은 탐관오리의 집에 쳐들어가 재물을 훔쳤다.

전국 방방곡곡에 홍길동을 잡는 사람에게 벼슬과 상금을 내린다는 방이 붙었다.

그러나 홍길동은 전혀 개의치 않고 재물을 훔쳐 가난한 백성들에게 나눠 주었다.

어휘 풀이

▼ **탐관오리** |탐할 탐 貪, 벼슬 관 官, 더러울 오 汚, 벼슬아치 리 吏| 백성의 재물을 탐내어 빼앗는, 행실이 깨끗하지 못한 관리. ㉲ 탐관오리들이 곡식을 빼앗아 가 굶주리는 백성들이 많았다.

▼ **방** |패 방 榜| 어떤 일을 널리 알리기 위하여 사람들이 다니는 길거리나 많이 모이는 곳에 써 붙이는 글. ㉲ 옛날에는 과거 시험의 합격자를 알리기 위해 벽에 방을 붙였다.

▼ **개의** |끼일 개 介, 뜻 의 意| 어떤 일 따위를 마음에 두고 생각하거나 신경을 씀. ㉲ 시끄러운 소리에도 개의치 않고 나는 계속 책을 읽었다.

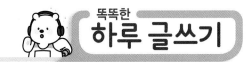

낱말 쓰기

 1 단계

『홍길동전』에서 일어난 일을 육하원칙에 따라 정리할 때, 빈칸에 알맞은 낱말을 각각 쓰세요.

> 홍길동이 재물을 훔쳐 가난한 백성들에게 나누어 준 일을 어제 일어난 일로 생각하고 써 보자.

(1) 홍길동과 도적들이 ㅇ ㅈ 탐관오리의 집에 쳐들어가 재물을 훔치는 일이 있었다.

(2) 훔친 재물을 ㄱ ㄴ 한 백성들에게 나누어 주기 위해서였다.

문장 쓰기

 2 단계

자신이 **1**에서 답한 일이 일어난 현장에 있다고 생각하며 기사문을 쓰려고 해요. 빈칸에 알맞은 말을 보기 에서 골라 쓰세요.

> 홍길동을 긍정적으로 바라보는 백성들의 입장을 생생하게 전달해야지.

보기

목소리가 날로 커지고   비웃음이 널리 퍼지고

탐관오리의 재물만을 훔치는 홍길동에게 '의로운 도적'이라 부르는 백

성들의

있다.

한 편 쓰기

 3 단계

1과 **2**에서 답한 내용을 넣어 기사문 형식의 독서 감상문을 완성하세요.

의로운 도적, 홍길동

홍길동과 도적들이 ❶ _____ 훔치는 일

이 있었다. 훔친 재물을 ❷ _____ 위해서였다.

탐관오리의 재물만을 훔치는 홍길동에게 ❸ _____

_____ 있다. 실제로 홍길동은 가난한 백성들을 도

와주는 일을 하는 '활빈당'을 만들었다고 한다. 그러나 관아에서는 홍길동을 잡는 사람에

게 벼슬과 상금을 내린다며 홍길동의 체포에 관심을 가져 줄 것을 호소하고 있다.

▶ 정답 및 해설 11쪽

1 다음 두 낱말의 뜻을 보고, 밑줄 그은 낱말을 각각 바르게 고쳐 쓰세요.

낱말
고쳐쓰기

재물	돈이나 그 밖의 값나가는 모든 물건.
제물	제사에 쓰는 음식물.

(1) 홍길동은 훔친 <u>제물</u>을 가난한 백성들에게 나눠 주었다.

제물 → ☐ ☐

(2) 명절 아침, 차례를 지내기 위해 햇과일과 곡식 등의 <u>재물</u>을 상에 차렸다.

재물 → ☐ ☐

2 다음 문장에서 밑줄 그은 부분의 띄어쓰기를 바르게 고치고, 문장을 따라 쓰세요.

문장
고쳐쓰기

전국 <u>방방 곡곡</u>에 홍길동을 잡는 사람에게 벼슬과 상금을 내린다는 방이 붙었다.

↓

전	국	∨				에	∨	홍	길	동	을	∨
잡	는	∨	사	람	에	게	∨	벼	슬	과	∨	상	금
을	∨	내	린	다	는	∨	방	이	∨	붙	었	다	.

 힌트 '한 군데도 빠짐이 없는 모든 곳.'이라는 뜻의 '방방곡곡'은 한 낱말이므로 붙여 써요.

● 『혹부리 영감』을 읽고 기사문 형식으로 독서 감상문을 쓰려고 해요. 표를 잘 보고, 빈칸에 알맞은 내용을 한 문장으로 정리하여 쓰세요.

누가	도깨비들이
언제	오늘 새벽에
어디에서	산에서
무엇을	착한 혹부리 영감에게서 떼어 갔던 혹을
어떻게	욕심쟁이 혹부리 영감에게 달아 주었다.

욕심쟁이 혹부리 영감, 혹을 하나 더 달고 나타나다

_____

_____

_____

　며칠 전, 착한 혹부리 영감의 혹을 떼어 갔던 도깨비들이 혹이 노래 주머니가 아니라는 사실을 알게 되었기 때문이다. 욕심쟁이 혹부리 영감의 말에 따르면 도깨비들은 혹에서 노래가 나온다고 속았다며 착한 혹부리 영감의 혹까지 자신의 턱에 달아 버렸다고 한다. 사람들은 그동안 욕심만 부리던 욕심쟁이 혹부리 영감이 드디어 벌을 받은 것이라고 입을 모아 말했다.

돌쇠 기자

힌트
빈칸 뒤에 '왜'에 해당하는 내용이 드러나요.
따라서 빈칸에는 '누가, 언제, 어디에서, 무엇을,
어떻게'를 넣어 만든 문장이 들어가야 해요.

소개하는 글 형식으로 독서 감상문을 써라!

소개하는 글 형식으로 독서 감상문을 쓸 때에는

친구들에게 소개하고 싶은 책 제목, 책 내용과

책에서 자신이 특별히 흥미롭게 느꼈던 부분,

친구들에게 해 주고 싶은 말 등을 정리하여 써 봐요.

책이 쓰여진 배경, 책 내용과 관련된 일화 등을 알려 주는 것도 좋아요.

● 사다리 타기를 하여 도착한 곳의 낱말을 따라 쓰며, 소개하는 글 형식으로 독서 감상문을 쓰는 방법을 알아보아요.

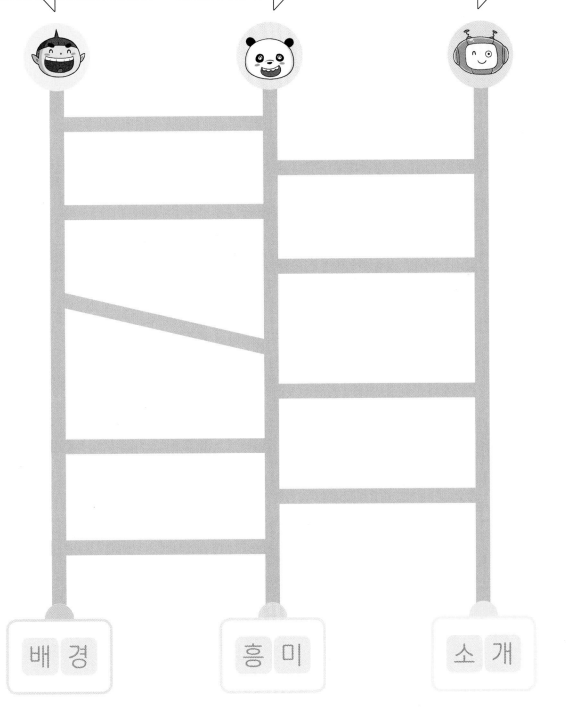

친구들에게 추천해 주고 싶은 책을 떠올리며 ○○하는 글 형식으로 독서 감상문을 써요.

책 제목, 책 내용, 책에서 자신이 특별히 ○○롭게 느꼈던 부분, 친구들에게 해 주고 싶은 말을 정리하여 써 봐요.

책이 쓰여진 ○○, 책 내용과 관련된 일화 등을 알려 주는 것도 좋아요.

배 경

흥 미

소 개

2 주

소개하는 글 형식으로 쓰기

◎ 다음 대화를 읽고, 소개하는 글 형식으로 독서 감상문을 쓰세요.

얘들아, 『안네의 일기』라는 책 알아? 시간 가는 줄 모르고 밤새 읽은 거 있지.

아, 유대인을 억압하던 당시에 안네라는 아이가 쓴 일기를 모아 엮은 책 말이지?

맞아. 독일군 눈에 띄지 않으려고 은신처에서 숨어 지낸 생활이 나타나 있는데, 너무 안타깝더라고. 그래도 그 안에서 웃음을 잃지 않고 희망과 행복을 찾는 모습이 정말 감명 깊었어.

나도 빌려줘. 읽고 다음 주에 줄게.

응. 더 많은 친구들이 이 책을 읽었으면 좋겠어. 독서 감상문을 써서 친구들에게 보여 주려고.

소개하는 글 형식으로 독서 감상문을 쓰면 좋을 것 같아.

응, 그럴게!

🐭 어휘 풀이

▼ **유대인**|사람 인 人| 히브리어를 사용하고 유대교를 믿는 민족.

　　　예 제2차 세계 대전 중에 많은 유대인이 독일군에게 희생당했다.

▼ **억압**|누를 억 抑, 누를 압 壓| 자기의 뜻대로 자유로이 행동하지 못하도록 억지로 억누름.

　　　예 안중근은 일제의 억압에도 절대 굴복하지 않았다.

▼ **은신처**|숨을 은 隱, 몸 신 身, 곳 처 處| 몸을 숨기는 곳. 예 동굴에 은신처를 만들었다.

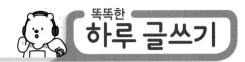

낱말 쓰기

달래가 소개하고 싶은 책의 제목과 내용을 정리할 때, 빈칸에 알맞은 낱말을 각각 쓰세요.

이 책은 유대인을 **억압**하던 당시에 안네가 쓴 일기를 모아 엮어서 만들었어.

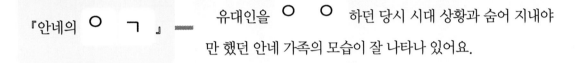

『안네의 ㅇ ㄱ 』 → 유대인을 ㅇ ㅇ 하던 당시 시대 상황과 숨어 지내야만 했던 안네 가족의 모습이 잘 나타나 있어요.

문장 쓰기

달래가 **1**에서 답한 책을 소개하며 친구들에게 해 주고 싶은 말을 정리하려고 해요. 빈칸에 알맞은 말을 **보기** 에서 골라 쓰세요.

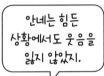
안네는 힘든 상황에서도 웃음을 잃지 않았지.

보기

희망과 행복을 찾는   좌절과 포기를 하는

이 책을 읽는다면 힘든 상황에서도

안네의 모습에 큰 감동을 받을 수 있을 거예요.

한 편 쓰기

1과 **2**에서 답한 내용을 넣어 소개하는 글 형식의 독서 감상문을 완성하세요.

❶『_____』는 안네가 쓴 일기를 모아 엮은 책으로, ❷_____

_____

_____이 잘 나타나 있어요. 우리 또래였던 안네는 전쟁의 두려움에 떨며 어떻게 하면 독일군에게 들키지 않을까를 늘 걱정하며 살았지만 결코 웃음을 잃지 않았어요.

여러분들도 이 책을 읽는다면 ❸_____

_____ 거예요.

▶ 정답 및 해설 12쪽

1 낱말 고쳐쓰기

다음 문장의 밑줄 그은 낱말을 보기 에서 골라 각각 바르게 고쳐 쓰세요.

보기

| 밤새 | 밤색 | 떼지 | 띄지 |

(1) 『안네의 일기』를 시간 가는 줄 모르고 밤세 읽었다.

밤세 → ☐☐

(2) 안네의 가족은 독일군 눈에 뛰지 않으려고 은신처에서 숨어 지냈다.

뛰지 → ☐☐

힌트 '밤이 지나는 동안.'이라는 뜻의 '밤사이'가 줄어든 말과 '눈에 보이지.'라는 뜻의 '뜨이지'가 줄어든 말로 각각 고쳐 써 보아요.

2 문장 고쳐쓰기

다음 친구가 고쳐 쓴 문장 과 같이 밑줄 그은 말을 고치고, 문장을 따라 쓰세요.

친구가 고쳐 쓴 문장

이제 아침에 일찍 일어날려고 한다.

↓

이제 아침에 일찍 일어나려고 한다.

힌트 '-려고'는 어떤 행동을 할 의도나 욕망을 가지고 있음을 나타내는 말이에요. 이때 불필요하게 'ㄹ'을 붙여 쓰는 것은 잘못이에요.

독서 감상문을 써서 친구들에게 보여 줄려고 한다.

↓

| 독 | 서 | ∨ | 감 | 상 | 문 | 을 | ∨ | 써 | 서 | ∨ | 친 | 구 |
| 들 | 에 | 게 | ∨ | 보 | 여 | ∨ | | | | ∨ | 한 | 다 | . |

▶ 정답 및 해설 12쪽

● 다음 친구들처럼 친구들에게 소개하고 싶은 책에 대해 떠올려 보고, 소개하는 글 형식으로 독서 감상문을 써 보세요.

『크리스마스 캐럴』에서
스크루지 영감이 세 유령을 만나는
부분이 재미있어서 친구들에게
소개해 주고 싶어.

친구들도 『문화 기행』을
읽고 다른 문화를 존중하는
태도를 길렀으면 좋겠어.

책 제목	
책 내용	
책에서 흥미롭게 느꼈던 부분	
친구들에게 해 주고 싶은 말	

힌트 표를 잘 보고, 각각의 내용이 자연스럽게 이어지도록
써 봐요. 책에서 흥미롭게 느꼈던 부분 대신에 책이 쓰여진
배경이나 책 내용과 관련된 일화를 써도 정답이 될 수 있어요.

시 형식으로 쓰기

밤톨
> 목이 터져라 독립을 외치던 열정. 겨레의 가슴에 영원하리!

글봇
> 우아, 『유관순』을 읽고 시 쓴 거야?

기찬
> 밤톨이에게 시인의 자질이 있었네!

> 책을 읽고 느낀 감동을 짧고 운율이 있는 말로 표현해 볼 수도 있어요. 오늘은 시 형식으로 독서 감상문을 써 봐요.

시 형식으로 독서 감상문을 써라!

시 형식으로 독서 감상문을 쓸 때에는

먼저 책 전체의 내용을 떠올려 봐요.

그리고 인상 깊었던 장면이나 인물의 마음 등이 잘 드러나도록

짧고 운율이 있는 말로 표현해요.

책과 관련된 자신의 생각이나 느낌을 시로 표현해도 좋아요.

◉ 시 형식으로 독서 감상문을 쓰는 방법에 맞게 빈칸에 알맞은 말을 쓰고, 퍼즐판에서 찾아 ◯표를 하세요.

먼저 책 ❶ ☐ ☐ 의 내용을 떠올려 봐요.

인상 깊었던 장면이나 인물의 마음 등이 잘 드러나도록 ❷ 짧고 ☐ ☐ 이 있는 말로 표현해요.

구	조	연	수
운	전	체	육
율	인	사	느
해	양	소	낌

책과 관련된 자신의 생각이나 ❸ ☐ ☐ 을 시로 표현해도 좋아요.

시 형식으로 쓰기

● 책 『김구』를 읽고 쓴 독서 감상문을 시 형식으로 바꾸어 쓸 때, 빈칸에 들어갈 3연을 써 보세요.

> 독서 감상문
>
> ### 위대한 지도자, 김구
>
> 아빠의 추천으로 독립운동가 김구 선생의 전기문을 읽게 되었다.
>
> 우리나라를 빼앗은 일본에 맞서 싸우다 모진 고문을 당하기도 했던 김구 선생은 단 한 번도 독립을 향한 의지를 꺾은 적이 없었다. 우리 민족의 교육 운동에 앞장섰고 독립운동가들과 뜻을 모으며 조국의 광복을 위해 노력했다.
>
> 나라를 몹시 사랑했던 김구 선생은 우리나라가 국력을 기르기를 원하였다. 그리고 높은 문화의 힘으로 우리나라가 세계에서 가장 아름다운 나라가 되기를 바랐다. 우리도 그 간절한 바람을 가슴에 새기고, 우리나라가 문화 강국이 되는 그날까지 나아가야겠다고 생각했다.

> 시 형식의 독서 감상문
>
> ### 위대한 지도자, 김구
>
> 일제의 모진 고문에도 흔들림 없이
> 독립을 향한 열정에 불을 지폈던 김구 선생
>
> 우리 민족을 새로운 지식에 눈뜨게 하고
> 독립 의지 한데 모아
> 조국의 광복을 위해 삶을 불태웠다.
>
> (빈칸)

 어휘 풀이

▼ **국력** | 나라 국 國, 힘 력 力 | 한 나라가 지닌 정치, 경제, 문화, 군사 따위의 모든 방면에서의 힘.
  예) 우리나라의 국력이 커지면서 우리 문화에 관심을 갖는 외국인들이 늘고 있다.
▼ **강국** | 강할 강 強, 나라 국 國 | 군사력과 경제력이 뛰어나 국제 사회에서 그 세력을 인정하는 나라.
  예) 고구려는 동아시아의 강국이었다.

낱말 쓰기

김구 선생이 바라는 것을 운율이 있는 짧은 말로 표현할 때, 다음 빈칸에 알맞은 낱말을 쓰세요.

나는 우리나라가 세계에서 가장 아름다운 나라가 되기를 원합니다. ……

오직 한없이 가지고 싶은 것은 높은 **문화**의 힘입니다!

김구

높은 ㅁ ㅎ 의 힘으로

우리나라가 세계에서 가장 아름다운 나라가 되기를 원한 김구 선생의 바람.

문장 쓰기

1의 내용을 바탕으로 지혜가 자신의 생각이나 느낌을 시구로 표현하려고 해요. 빈칸에 알맞은 말을 보기 의 말을 모두 이용하여 쓰세요.

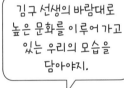

김구 선생의 바람대로 높은 문화를 이루어 가고 있는 우리의 모습을 담아야지.

지혜

보기

또   우리   나아가는

그 간절한 바람을 가슴에 새기고

나아가고   .

한 편 쓰기

1과 **2**를 바탕으로 빈칸에 알맞은 시구를 써서 시 형식의 독서 감상문에 들어갈 3연의 내용을 써 보세요.

❶ _____

_____가 되기를

원한 김구 선생의 바람.

그 간절한 바람을 ❷ _____

_____

1 낱말 고쳐쓰기

다음 친구가 고쳐 쓴 낱말 과 같이 밑줄 그은 낱말을 바르게 고쳐 쓰세요.

친구가 고쳐 쓴 낱말

김구 선생은 높은 문화의 힘으로 우리나라가 세계에서 가장 아름다운 나라가 되기를 <u>바랬다</u>.

바랬다 → 바 랐 다

우리도 그 간절한 <u>바램</u>을 가슴에 새기고, 우리나라가 문화 강국이 되는 그날까지 나아가야겠다고 생각했다.

바램 → ☐ ☐

 힌트
'바래다'는 '볕이나 습기를 받아 색이 변하다.'라는 뜻으로 '바라다'와 뜻이 달라요. 따라서 '바라다'에서 온 말을 '바램'이라고 쓰는 것은 잘못이에요.

2 문장 고쳐쓰기

다음 시구에서 밑줄 그은 부분의 띄어쓰기를 바르게 고치고, 문장을 따라 쓰세요.

우리 민족을 새로운 지식에 눈뜨게 하고
독립 의지 <u>한 데</u> 모아
조국의 광복을 위해 삶을 불태웠다.

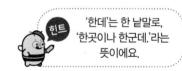 힌트
'한데'는 한 낱말로, '한곳이나 한군데.'라는 뜻이에요.

↓

우	리	∨	민	족	을	∨	새	로	운	∨	지	식
에	∨	눈	뜨	게	∨	하	고					
	독	립	∨	의	지	∨		∨	모	아		
	조	국	의	∨	광	복	을	∨	위	해	∨	삶	을
불	태	웠	다	.								

◉ 다음은 책 『유관순』을 읽고 쓴 독서 감상문의 일부분이에요. 이를 시 형식으로 바꾸어 쓸 때, 빈칸에 들어갈 말을 보기 에서 각각 골라 쓰세요.

> 아우내 장터에서 유관순은 사람들과 목이 터져라 "대한 독립 만세!"를 외쳤다. 일본 헌병들이 총과 칼로 사람들을 쓰러뜨렸고 유관순 역시 일본 헌병들에게 붙잡혔다. 그러나 유관순은 모진 고문에도 절대 굽히지 않고 당당하게 맞서다 끝내 감옥에서 숨을 거두었다. 비록 열아홉 살이라는 어린 나이에 생을 다하였지만 독립을 향한 유관순의 열정은 언제까지나 우리의 가슴속에 자리하고 있을 것이다.

↓

지지 않는 별, 유관순

"대한 독립 만세!"
"대한 독립 만세!"

❶ _____
귓가에 맴도는 듯해요.

❷ _____
날카로운 칼부림
그 무엇이 독립을 향한
유관순의 열정을 막을 수 있었을까요?

일제의 총칼에 맞서
나라의 독립을 외치다
밤하늘의 별이 되었어도

힘차게 외치던 독립 만세의 울림

❸ _____ .

보기

차가운 총부리

겨레의 가슴에 영원해요

독립을 향한 유관순의 외침이

 힌트 독서 감상문에서 시의 빈칸에 들어갈 내용과 관련 있는 부분을 찾아보고, 보기 에서 알맞은 시구를 각각 골라 써 보아요.

생활 어휘 다음 만화를 보며 속담의 뜻을 알아보고, 상황에 맞게 속담을 써 보세요.

나는 바담 풍(風) 해도 너는 바람 풍 해라

속담의 뜻을 알아봐요!

나는 바담 풍(風) 해도 너는 바람 풍 해라

이 속담은 "자신은 잘못된 행동을 하면서 남보고는 잘하라고 요구한다."라는 뜻이랍니다.

이제 이 속담을 넣어 상황에 맞게 써 볼까요?

도서관에서는 떠들면 안 되는 거 알지?

쉿! 조용해.

도서관에서 떠들지 말라는 얘기를 큰 목소리로 말하다니 "☐☐☐☐ ☐☐☐☐ ☐☐"와 똑같다.

● 홍길동이 탐관오리에게 훔친 재물을 가난한 백성들에게 나누어 주고 있어요. 뜻에 알맞은 낱말을 찾아 따라 쓰며 가난한 돌이의 집까지 가는 길을 선으로 이어 보세요.

▶ 정답 및 해설 14쪽

● 도깨비들이 욕심쟁이 혹부리 영감에게 찾아갈 수 있도록 빈 부분에 들어갈 알맞은 코딩 블록에 ○ 표를 하세요.

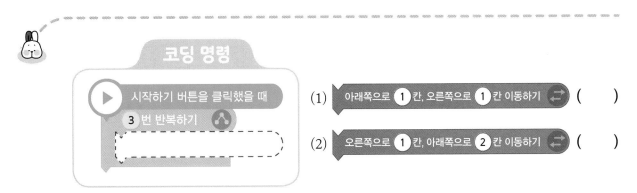

코딩 명령

▶ 시작하기 버튼을 클릭했을 때
3 번 반복하기

(1) 아래쪽으로 **1** 칸, 오른쪽으로 **1** 칸 이동하기 ⇄ (   )

(2) 오른쪽으로 **1** 칸, 아래쪽으로 **2** 칸 이동하기 ⇄ (   )

 코딩 도깨비들이 욕심쟁이 혹부리 영감을 만나려면 **코딩 블록을 어떻게 조합**하면 될지 생각해 봅니다.

다음은 『안네의 일기』의 일부분이에요. 다음 그림이 나타내는 글자가 무엇인지 알아보고, 안네가 자신의 일기장을 어떻게 불렀는지 빈칸에 쓰세요.

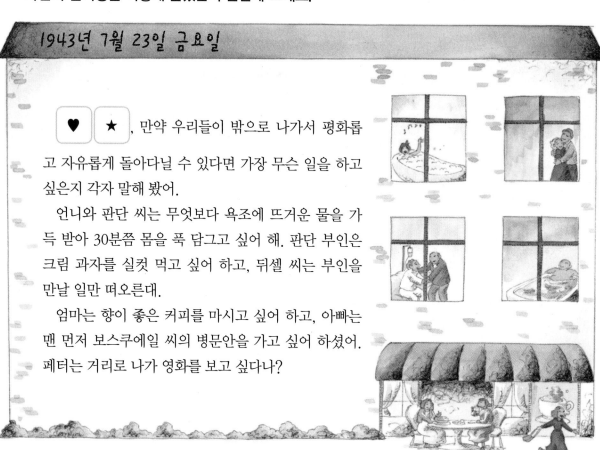

1943년 7월 23일 금요일

♥ ★, 만약 우리들이 밖으로 나가서 평화롭고 자유롭게 돌아다닐 수 있다면 가장 무슨 일을 하고 싶은지 각자 말해 봤어.

언니와 판단 씨는 무엇보다 욕조에 뜨거운 물을 가득 받아 30분쯤 몸을 푹 담그고 싶어 해. 판단 부인은 크림 과자를 실컷 먹고 싶어 하고, 뒤셀 씨는 부인을 만날 일만 떠오른대.

엄마는 향이 좋은 커피를 마시고 싶어 하고, 아빠는 맨 먼저 보스쿠에일 씨의 병문안을 가고 싶어 하셨어. 페터는 거리로 나가 영화를 보고 싶다나?

그림	♣	♥	♦	♠	★	◈	▲
나타내는 글자	크	키	타	코	티	피	후

 안네는 13살 때 생일 선물로 받은 자신의 일기장을 '☐ ☐'라고 불렀어요.

창의 당시의 시대 상황을 떠올려 보며 『안네의 일기』 일부분을 읽어 보고, **안네가 자신의 일기장을 어떻게 불렀는지 알아봅니다.**

▶정답 및 해설 14쪽

◉ 다음 만화에 나타난 김구와 윤봉길의 일화를 읽고, 두 인물에 대한 설명으로 알맞은 말에 각각 ○표를 하세요.

김구와 윤봉길은 훙커우 공원에서 열리는 일본 천황의 (1) (생일 , 결혼) 축하식에서 폭탄을 던져 대한민국의 (2) (지배 , 독립) 의지를 보여 주고자 했어요. 중대한 일을 앞두고 두 인물은 결의를 다지며 (3) (시계 , 차표)를 교환하였지요.

 융합
국어+사회 김구와 윤봉길이 만나 **계획한 일과 결의를 다진 까닭, 결의를 다지며 한 일**을 알아봅니다.

1 다음은 어떤 형식으로 쓴 독서 감상문인지 빈칸에 알맞은 말을 쓰세요.

> 20○○년 7월 13일 화요일　　　날씨: 맑음
>
> 제목: 『양치기 소년』을 읽고
>
> 　달래에게 거짓말을 하며 장난을 쳤는데 달래가 나한테 양치기 소년 같다고 했다. 달래의 말을 듣고 예전에 읽었던 『양치기 소년』이 생각나서 다시 읽어 보았다.

☐☐ 형식

[2~3] 다음은 『크리스마스 선물』을 읽고 편지 형식으로 독서 감상문을 쓴 것이에요. 잘 읽고, 물음에 답하세요.

> 　델라와 짐에게
>
> 　안녕하세요? 저는 둘의 모습이 담긴 표지 그림을 보고 이 책을 읽게 되었어요.
>
> 　델라는 머리카락을 잘라 짐에게 줄 시곗줄을 샀고, 짐은 시계를 팔아 델라에게 줄 머리핀을 샀죠. 서로를 깊이 생각하는 둘의 모습을 보고 저는 큰 감동을 받았어요. 진정한 사랑의 의미를 일깨워 주고, 내 마음을 따뜻하게 해 줘서 고마워요.
>
> 　그럼 안녕히 계세요.

2 짐은 무엇을 팔아 머리핀을 샀는지 알맞은 것에 ○표를 하세요.

(시계 , 머리카락)

3 편지 형식의 독서 감상문인 이 글에서 찾을 수 <u>없는</u> 내용은 무엇인가요? (　　　)

① 첫인사　　　② 끝인사
③ 받을 사람　　④ 요일과 날씨
⑤ 전하고 싶은 말

[4~5] 다음은 『홍길동전』을 읽고 기사문 형식으로 독서 감상문을 쓴 것이에요. 잘 읽고, 물음에 답하세요.

> 의로운 도적, 홍길동
>
> 　홍길동과 도적들이 어제 탐관오리의 집에 쳐들어가 재물을 훔치는 일이 있었다. ☐ ㉠ ☐  탐관오리의 재물만을 훔치는 홍길동에게 '의로운 도적'이라 부르는 백성들의 목소리가 날로 커지고 있다. 실제로 홍길동은 가난한 백성들을 도와주는 일을 하는 '활빈당'을 만들었다고 한다.

[글쓰기]

4 ☐ ㉠ ☐ 안에 홍길동이 재물을 왜 훔쳤는지에 대한 내용을 쓰려고 해요. 알맞은 말을 **보기**에서 골라 문장을 완성하고, 따라 쓰세요.

> **보기**
>
> 백성　　　관리

훔	친	∨	재	물	을	∨
가	난	한	∨			들	에
게	∨	나	누	어	∨	주	기	∨
위	해	서	였	다	.		

5 이 글에서 다음 뜻을 가진 낱말을 찾아 네 글자로 쓰세요.

> 　백성의 재물을 탐내어 빼앗는, 행실이 깨끗하지 못한 관리.

(　　　　　)

▶ 정답 및 해설 15쪽

[6~7] 다음은 『안네의 일기』를 읽고 소개하는 글 형식으로 독서 감상문을 쓴 것이에요. 잘 읽고, 물음에 답하세요.

『안네의 일기』는 안네가 쓴 일기를 모아 엮은 책으로, 유대인을 억압하던 당시 시대 상황과 숨어 지내야만 했던 안네 가족의 모습이 잘 나타나 있어요. 우리 또래였던 안네는 전쟁의 두려움에 떨며 어떻게 하면 독일군에게 들키지 않을까를 늘 걱정하며 살았지만 결코 웃음을 잃지 않았어요.

여러분들도 이 책을 읽는다면 힘든 상황에서도 희망과 행복을 찾는 안네의 모습에 큰 감동을 받을 수 있을 거예요.

6 안네가 어떤 삶을 살았는지 정리할 때, 알맞은 말에 ○표를 하세요.

유대인을 억압하던 당시 시대 상황에서 숨어 지내면서도 결코 (희망 , 절망)을 잃지 않는 삶.

7 이 글에 대해 알맞게 말한 친구의 이름을 쓰세요.

친구들에게 해 주고 싶은 말을 넣어 책을 소개하고 있어.

달래

자신이 책에 나오는 사건 현장에 있다고 생각하며 일어난 일을 육하원칙에 맞게 전달하고 있어.

기찬

(   )

8 시 형식으로 독서 감상문을 알맞게 쓴 친구의 이름에 ○표를 하세요.

서윤: 책과 관련된 내 생각과 느낌을 짧고 운율이 있는 말로 썼어.

정열: 책을 왜 읽게 되었는지, 책의 내용은 무엇인지 등을 최대한 자세하게 썼어.

[9~10] 다음은 책 『김구』를 읽고 시 형식으로 독서 감상문을 쓴 것이에요. 잘 읽고, 물음에 답하세요.

우리 민족을 새로운 지식에 눈뜨게 하고
독립 의지 한데 모아
조국의 광복을 위해 삶을 불태웠다.

높은 문화의 힘으로
우리나라가 세계에서 가장 아름다운 나라가
되기를 원한 김구 선생의 ㉠바램.
그 간절한 바람을 가슴에 새기고
나아가고 또 나아가는 우리.

9 이 시에 나타난 김구 선생의 마음으로 알맞은 것에 ○표를 하세요.

(1) 나라를 사랑하는 마음   (   )
(2) 부모님께 효도하는 마음   (   )

글쓰기

10 ㉠을 바르게 고쳐 쓰고, 시구를 따라 쓰세요.

우	리	나	라	가	∨	세
계	에	서	∨	가	장	∨	아
름	다	운	∨	나	라	가	∨
되	기	를	∨	원	한	∨	김
구	∨	선	생	의	∨		

자기소개서를 써 보자!

1-1 다음 중 자기소개서에 대한 설명으로 알맞지 <u>않은</u> 것에 ×표를 하세요.

(1) 다른 사람에게 자신을 소개하기 위해 쓴 글이다. ( )

(2) 하루 동안 있었던 자신의 모습을 되돌아보며 쓴 글이다. ( )

(3) 성격, 특별한 경험, 취미나 특기, 장래 희망 등 읽는 이가 궁금해할 만한 내용을 골라
쓴다. ( )

1-2 다음 그림을 보고, 은주가 쓴 글이 무엇일지 [보기]에서 골라 쓰세요.

보기

| 자기 계발서 | 자기소개서 |

▶ 정답 및 해설 16쪽

2-1 자기소개서에 장래 희망을 쓸 때, 그 내용으로 알맞은 것에 모두 ○표를 하세요.

(1) 장래 희망을 갖게 된 까닭을 쓴다. ( )

(2) 앞으로 장래 희망이 어떻게 바뀔지 쓴다. ( )

(3) 주변 사람들의 장래 희망은 무엇인지 쓴다. ( )

(4) 장래 희망을 이루기 위해 지금 어떤 노력을 하고 있는지 쓴다. ( )

2-2 밤톨이가 말하는 내용은 무엇인지 살펴보고 빈칸에 알맞은 말을 쓰세요.

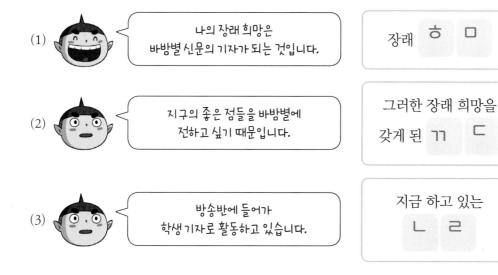

(1) 나의 장래 희망은 바밤별 신문의 기자가 되는 것입니다.

장래 ㅎ ㅁ

(2) 지구의 좋은 점들을 바밤별에 전하고 싶기 때문입니다.

그러한 장래 희망을 갖게 된 ㄲ ㄷ

(3) 방송반에 들어가 학생 기자로 활동하고 있습니다.

지금 하고 있는 ㄴ ㄹ

1_일 성격 쓰기

자신의 성격을 써라!

자기소개서란, 다른 사람에게 자신을 소개하기 위해 쓴 글이에요.

자기소개서를 쓰면 자신을 돌아보는 기회가 되기도 해요.

먼저, 자신의 성격을 소개해 보세요. 자신의 성격을 쓰고,

그러한 성격이 드러나는 행동이나 습관 등을 자세히 쓰면 돼요.

◎ 사다리 타기를 하여 도착한 곳의 낱말을 따라 쓰며, 자기소개서를 쓰는 방법을 알아보아요.

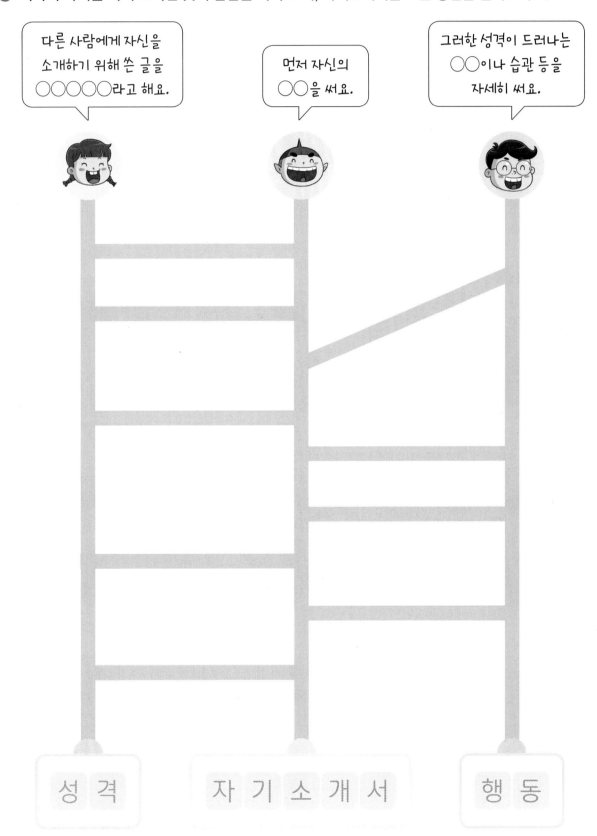

다른 사람에게 자신을
소개하기 위해 쓴 글을
○○○○○○라고 해요.

먼저 자신의
○○을 써요.

그러한 성격이 드러나는
○○이나 습관 등을
자세히 써요.

성 격

자 기 소 개 서

행 동

1일 성격 쓰기

◉ 다음 만화를 읽고, 친구들이 자신의 성격을 어떻게 소개하고 있는지 살펴보세요. 그리고 밤송이의 성격을 소개하는 내용을 써 보세요.

🐹 어휘 풀이

▼ **소개**|이을 소 紹, 끼일 개 介| 서로 모르는 사람들 사이에서 양편이 알고 지내도록 관계를 맺어 줌.
　㉔ 승우는 나에게 민혁이를 소개해 주었다.

▼ **성격**|성품 성 性, 격식 격 格| 개인이 가지고 있는 고유의 성질이나 품성. ㉔ 동생은 고집이 센 성격이다.

▼ **겸손**|겸손할 겸 謙, 겸손할 손 遜| 남을 존중하고 자기를 내세우지 않는 태도가 있음.
　㉔ 달래는 그림 대회에서 일 등을 하고도 겸손하게 인터뷰를 했다.

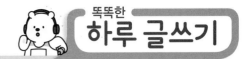
낱말 쓰기

1단계 다음 그림을 보고, 밤송이는 어떤 성격인지 빈칸에 알맞은 말을 쓰세요.

엄마, 아빠, 밤톨이가 공부하고 있는 지구는 어떤 곳이에요?

넌 정말 호기심이 많구나.

ㅎ ㄱ ㅅ 이

많은 성격입니다.

문장 쓰기

2단계 **1**에서 답한 밤송이의 성격이 잘 드러나는 행동이나 습관은 무엇인지 보기 에서 골라 빈칸에 쓰세요.

> **보기**
>
> 열심히 운동을 하거나   언제든 질문을 하거나

궁금한 것이 있으면   직접

자료를 찾아보고는 합니다.

한 편 쓰기

3단계 **1**과 **2**에서 쓴 내용을 바탕으로 밤송이가 자신의 성격을 소개하는 글을 쓰세요.

	①저	는	∨						∨			∨ 성	격
입	니	다	.	②그	래	서	∨ 궁	금	한	∨	것	이	∨
있	으	면	∨				∨				∨		
	∨			∨			∨ 찾	아	보	고	는	∨	
합	니	다	.										

3주

1

낱말
고쳐쓰기

다음 그림을 보고, 밑줄 그은 말과 바꿔 써야 하는 낱말을 보기 에서 각각 골라 고쳐 쓰세요.

보기

활발하다 생기 있고 힘차며 시원스럽다.

겸손하다 남을 존중하고 자기를 내세우지 않는 태도가 있다.

(1) 진아는 <u>얌전하다</u>.

→ ☐ ☐ ☐ ☐ .

(2) 승윤이는 <u>거만하다</u>.

→ ☐ ☐ ☐ ☐ .

2

문장
고쳐쓰기

다음 친구가 고쳐 쓴 문장 과 같이 두 문장을 하나로 합쳐서 한 문장으로 만들어 쓰세요.

친구가 고쳐 쓴 문장

나는 성실하다. 그리고 나는 부지런하다.

↓

나는 성실하고 부지런하다.

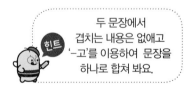
힌트 두 문장에서
겹치는 내용은 없애고
'-고'를 이용하여 문장을
하나로 합쳐 봐요.

나는 다정하다. 그리고 나는 친절하다.

↓

나	는	∨				∨	친	절	하	다	.

● 정아가 자기소개서에 자신의 성격에 대해 쓰려고 해요. 만화 속 모습을 보고, 정아의 성격과 그러한 성격이 잘 드러나는 행동이나 습관을 보기 에서 골라 쓰세요.

보기

용기가 있고 도전을 좋아하는

사람들과 어울리는 것을 좋아하는

처음 만나는 친구가 있으면 먼저 다가가 인사를 하곤 합니다

실패를 두려워하지 않기 때문에 남들이 어려워서 망설이는 일에 먼저 나서고는 합니다

나의
성격

제 이름은 박정아입니다. 저는 ❶ _____

_____ 성격입니다. ❷ _____

_____

_____ .

힌트 보기 의 문장이 모두 답이 될 수 있어요. 성격을 나타내는 내용과 행동이나 습관을 나타내는 내용을 구분해 보고, 각각의 행동이나 습관이 어떤 성격과 어울리는지 생각해 봐요.

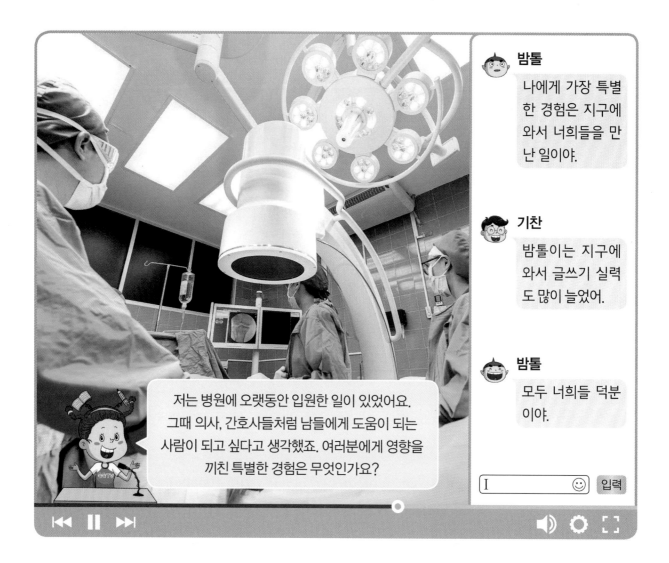

밤톨
나에게 가장 특별한 경험은 지구에 와서 너희들을 만난 일이야.

기찬
밤톨이는 지구에 와서 글쓰기 실력도 많이 늘었어.

밤톨
모두 너희들 덕분이야.

저는 병원에 오랫동안 입원한 일이 있었어요. 그때 의사, 간호사들처럼 남들에게 도움이 되는 사람이 되고 싶다고 생각했죠. 여러분에게 영향을 끼친 특별한 경험은 무엇인가요?

자신에게 영향을 끼친 특별한 경험을 떠올려 써라!

지금까지 살아오면서 자신에게 큰 영향을 끼친 특별한 경험들을 떠올려 보세요.

자기소개서에 기억에 남는 특별한 경험과 그 경험이 자신에게 끼친 영향을 써 봐요.

자신의 생각이나 장래 희망 등에 영향을 준 책이나 영화, 전시회 등도

특별한 경험이 될 수 있어요.

▶ 정답 및 해설 17쪽

● 그림에 맞는 퍼즐 모양을 찾아 ○표를 하고, 자기소개서에 어떤 내용을 쓰는지 알아보아요.

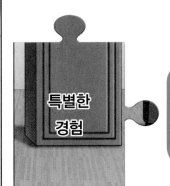

3
주

자기소개서에 특별한 경험을 떠올려 쓰는 방법을 생각하며 다음 문장을 따라 쓰세요.

독	서	V	감	상	문	V	대	회	에	서	V	상
을	V	받	은	V	뒤	V	책	V	읽	기	를	V	좋
아	하	게	V	되	었	고	,	지	금	은	V	책	벌
레	가	V	되	었	습	니	다	.

● 태진이가 쓴 일기를 살펴보고, 태진이에게 특별했던 경험은 무엇인지 써 보세요.

20○○년 9월 2일 수요일	날씨: 흐리고 가끔 비

오늘 「울지 마 톤즈」라는 영화를 봤다. 이태석 신부님께서 가난과 전쟁으로 어려운 환경에 처한 남수단의 톤즈 지역에서 청소년들을 위해 헌신하시는 내용의 다큐멘터리 영화였다.

이태석 신부님께서는 그들의 선생님이 되기도 하시고, 의사가 되기도 하시고, 집을 짓는 건축가가 되기도 하셨다. 또 브라스 밴드를 만들어 그들에게 희망을 심어 주기도 하셨다.

이태석 신부님께서 돌아가시는 부분에서 나는 펑펑 울었다. 내가 이태석 신부님처럼 할 수는 없겠지만 주변에 어려움을 겪는 사람들이 있으면 나도 도움을 주기 위해 노력해야겠다고 다짐했다.

어휘 풀이

▼ **헌신** | 바칠 헌 獻, 몸 신 身 | 몸과 마음을 바쳐 있는 힘을 다함.

　예 선생님께서는 늘 우리를 위해 헌신하신다.

▼ **다큐멘터리 영화** 　실제 상황이나 자연 현상을 사실 그대로 찍은 영화.

　예 어제 절벽을 맨손으로 오르는 사람에 대한 다큐멘터리 영화를 보았다.

▼ **브라스 밴드** 　트럼펫, 트롬본, 호른처럼 쇠붙이로 만든 관악기로 이루어진 연주 단체.

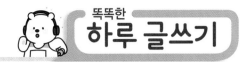

▶ 정답 및 해설 17쪽

낱말 쓰기

1 다음 그림을 보고, 태진이에게 큰 영향을 끼친 경험은 무엇인지 쓰세요.

이 영화는 정말 감동적이고 슬퍼.

태진

「울지 마 톤즈」라는 다큐멘터리 ㅇ ㅎ 를 보고 이태석 신부님의 사랑과 희생 정신에 큰 감동을 받았습니다.

문장 쓰기

2 1에서 답한 경험이 태진이에게 어떤 영향을 끼쳤는지 알맞은 내용을 보기 에서 골라 쓰세요.

> **보기**
>
> 도움을 주기 위해 노력   공부를 하기 위해 연습

영화를 본 뒤부터 주변에 어려움을 겪는 사람이 있으면 저도

하고 있습니다.

한 편 쓰기

3 1과 2에서 쓴 내용을 넣어 태진이가 자신의 특별한 경험을 소개하는 내용을 쓰세요.

특별한 경험	저는 「울지 마 톤즈」라는 ❶ _____ 이태석 신부님의 사랑과 희생 정신에 큰 감동을 받았습니다. 영화를 본 뒤부터 주변에 어려움을 겪는 사람이 있으면 ❷ _____ _____ _____

3
주

1 다음 문장의 밑줄 그은 낱말 대신 바꿔 쓰기에 알맞은 낱말을 보기 에서 골라 바꿔 쓰세요.

낱말
고쳐쓰기

보기

주의   주위   놓여   높여

모금함

(1) 주변의 어려움을 겪는 사람들에게 도움을 주었다.

↓

☐ ☐

(2) 아이들은 어려운 환경에 처해 있었다.

↓

☐ ☐

2 친구가 쓴 글 을 높임 표현에 주의하여 바르게 고치고, 문장을 따라 쓰세요.

문장
고쳐쓰기

친구가 쓴 글

아이들의 선생님이자 의사, 집을 짓는 건축가이기도 하셨던 신부님이 죽는 부분에서 나는 펑펑 울었다.

↓

아	이	들	의	V	선	생	님	이	자	V	의	사	,
집	을	V	짓	는	V	건	축	가	이	기	도	V	하
셨	던	V				V							V
부	분	에	서	V	나	는	V	펑	펑	V	울	었	다	.

힌트
'이/가'의 높임 표현은 '께서'이고,
'죽다'의 높임 표현은 '돌아가시다'예요.

● 다음 만화를 잘 읽고, 진영이의 자기소개서에 들어갈 특별한 경험을 보기 에서 골라 쓰세요.

보기

> 무엇이든 깨끗하게 정리하는 버릇
>
> 제가 가지고 논 장난감을 정리하지 않아서 동생이 다치는 일

특별한 경험	저는 원래 정리를 잘 하지 않는 성격이었는데 하루는 ❶ _____ _____ 이 있었습니다. 그 뒤로는 장난감뿐 아니라 ❷ _____ _____ 이 생겼습니다.

힌트 특별한 경험이라는 것은 자신의 생각이나 장래 희망 등에
어떤 변화를 줄 만한 일을 말해요. 생활하면서 겪은 사소한 일도
자신에게는 특별한 경험이 될 수 있어요.

취미나 특기 쓰기

취미나 특기를 써라!

평소에 즐겨 하는 취미나 자신이 잘한다고 생각하는 특기를 소개해요.

자기소개서에 어떤 취미나 특기를 가지고 있는지 쓰고,

그러한 취미나 특기를 가지게 된 까닭,

취미나 특기를 위해서 자신이 하는 노력 등을 쓰면 돼요.

● 자기소개서에 취미나 특기를 쓰는 방법에 맞게 빈칸에 알맞은 말을 쓰고, 퍼즐판에서 찾아 ○표를 하세요.

평소에 즐겨 하는
❶ ☐ ☐ 나 자신이 잘한다고
생각하는 특기를 소개해요.

취미나 특기를 가지게 된
❷ ☐ ☐ 을 써요.

선	노	열	장
배	력	정	취
고	이	경	미
까	닭	현	망

취미나 특기를 위해서 어떤
❸ ☐ ☐ 을 하는지 써요.

3일 취미나 특기 쓰기

◉ 다음 대화를 읽고, 기찬이의 자기소개서에 들어갈 취미나 특기를 소개하는 내용을 써 보세요.

> 자기소개서의 ▾취미나 ▾특기 부분에는 무엇을 쓰면 좋을까?

> 기찬이 네가 즐겨 하거나 잘한다고 생각하는 것을 써야지.

> 내가 즐겨 하거나 잘하는 것?

> 넌 수영을 좋아하지?

> 응, 건강해지려고 시작했는데, 지금은 가장 좋아하는 취미가 되었어.

> 기찬이는 수영을 더 잘하고 싶다면서 하루도 빼먹지 않고 수영장에 다니며 연습을 하고 있어.

> 나는 수영을 잘 못하는데, 기찬이는 수영을 정말 잘하겠다. 부러워!

> 고마워. 이제 어떤 내용을 쓰면 좋을지 알겠어.

🐻 **어휘 풀이**

▾**취미**|행동 취 趣, 맛 미 味|　전문적으로 하는 것이 아니라 즐기기 위하여 하는 일. ㉞ 내 취미는 등산이야.

▾**특기**|특별할 특 特, 재주 기 技|　남이 가지지 못한 특별한 기술이나 기능.
　㉞ 우리 가족은 음악에 특기가 있어서 모두 음악과 관련된 일이나 공부를 합니다.

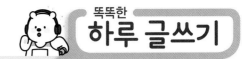

▶ 정답 및 해설 18쪽

낱말 쓰기

 다음 그림을 보고, 기찬이의 취미에 대한 내용에 맞게 빈칸에 들어갈 알맞은 말을 보기 에서 각각 골라 쓰세요.

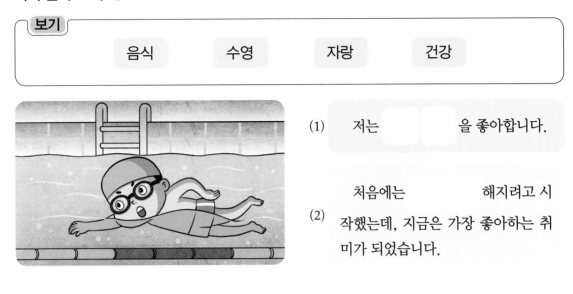

보기

| 음식 | 수영 | 자랑 | 건강 |

(1) 저는 □□ 을 좋아합니다.

(2) 처음에는 □□ 해지려고 시작했는데, 지금은 가장 좋아하는 취미가 되었습니다.

문장 쓰기

 기찬이가 자신의 취미에 쏟는 노력으로 알맞은 것을 보기 에서 골라 쓰세요.

보기

| 수영장에 다니며 연습 | 도서관에 앉아서 공부 |

요즘은 수영을 더 잘하기 위해서 하루도 빼먹지 않고

□□□ 하고 있습니다.

한 편 쓰기

 1과 2에서 쓴 내용을 넣어 기찬이가 취미나 특기를 소개하는 내용을 쓰세요.

| 취미나
특기 | 저는 ❶ _____

❷ _____,

지금은 가장 좋아하는 취미가 되었습니다. 요즘은 수영을 더 잘하기 위

해서 ❸ _____

_____ |

1 다음 문장의 밑줄 그은 낱말 대신 바꿔 쓰기에 알맞은 낱말을 보기 에서 골라 바꿔 쓰세요.
낱말
고쳐쓰기

보기

빼먹지 규칙적으로 하던 일을 안 하지.

빠지지 어떤 일이나 모임에 참여하지 않지.

나는 하루도 빠뜨리지 않고 수영장을 다니며 연습한다.

→ 나는 하루도 ☐☐☐ 않고 수영장을 다니며 연습한다.

힌트 보기 의 말들은 뜻이 비슷해서 상황에 따라 바꾸어 쓸 수 있는 말들이에요. 어떤 낱말로 바꿔 써도 모두 답이 될 수 있어요.

2 다음 친구가 쓴 글 의 밑줄 그은 부분을 띄어쓰기에 주의하여 바르게 고치고, 문장을 따라 쓰세요.
문장
고쳐쓰기

친구가 쓴 글

나는 수영을 잘못하는데, 기찬이는 수영을 정말 잘 하겠다.

↓

나	는	V	수	영	을	V		V					,
기	찬	이	는	V	수	영	을	V	정	말	V		
		.											

힌트 '잘하지 못하다.'라는 뜻의 '잘 못하다'는 '잘'과 '못하다' 사이를 띄어 써야 하고, '좋고 훌륭하게 하다.'라는 뜻의 '잘하다'는 붙여 써야 해요.

● 다음 친구들의 대화를 읽고, 달래가 자신의 취미나 특기를 소개하는 내용을 써 보세요.

얘들아, 내가 만든 빵 좀 먹어 봐.

와! 달래는 빵 만드는 특기를 가지고 있구나!

달래네 삼촌께서 제빵사셔서 자연스럽게 빵 만드는 법을 배웠대.

달래는 더 맛있는 빵을 만들기 위해서 새로운 재료를 이용해서 여러 가지 빵 만드는 연습을 자주 해.

제 특기는 ＿＿＿＿＿＿＿＿＿＿＿＿＿＿＿＿＿ 입니다.

＿＿＿＿＿＿＿＿＿＿＿＿＿＿＿＿＿＿＿＿＿＿＿＿＿

＿＿＿＿＿＿＿＿＿＿＿＿＿＿＿＿＿＿＿＿＿＿＿＿＿

＿＿＿＿＿＿＿＿＿＿＿＿＿＿＿＿＿＿＿＿＿＿＿＿＿

＿＿＿＿＿＿＿＿＿＿＿＿＿＿＿＿＿＿＿＿＿＿＿＿＿

 힌트 달래가 즐겨 하거나 잘하는 것이 무엇인지 쓰고, 그러한 취미나 특기를 가지게 된 까닭과 그것을 위해서 달래가 어떤 노력을 하고 있는지 쓰세요.

4일 장래 희망 쓰기

밤톨
나는 바밤별에 지구를 소개하는 기자가 될 거야.

기찬
나는 우리나라에서 가장 멋진 건물을 짓는 건축가가 될 거야.

달래
나는 우주 비행사가 될 거야. 넓은 우주를 마음껏 여행하고 싶거든.

자기소개서에 자신의 장래 희망을 적어 보세요. 여러분의 장래 희망은 무엇이고, 그 장래 희망을 이루기 위해 어떤 노력을 하고 있는지 써 봐요.

I 😊 입력

 을 써라!

자기소개서에 자신이 앞으로 하고자 하는 일이나 직업을 떠올려 장래 희망을 써요.

그러한 장래 희망을 갖게 된 까닭을 쓰고,

이를 이루기 위해 지금 어떤 노력을 하고 있는지 쓰면 좋아요.

● 사다리 타기를 하여 도착한 곳의 낱말을 따라 쓰며, 자기소개서에 장래 희망을 쓰는 방법을 알아보아요.

자신이 앞으로 하고자 하는 일이나 직업을 떠올려 장래 ○○을 써요.

그러한 장래 희망을 갖게 된 ○○을 써요.

장래 희망을 이루기 위해 어떤 ○○을 하고 있는지 써요.

까닭

노력

희망

4일 장래 희망 쓰기

⦿ 태민이가 쓴 장래 희망에 대한 내용을 읽고, 태민이가 자신의 현재 장래 희망을 소개하는 내용을 써 보세요.

3학년 때 장래 희망

- **장래 희망:** 선생님
- **장래 희망을 갖게 된 까닭:** 동생에게 한글을 가르쳐 주면서 뿌듯했고, 동생이 한글을 금세 익혀 기뻤음.
- **장래 희망을 이루기 위한 노력:** 공부도 더 열심히 하고, 동생에게 쉽고 재미있게 공부를 가르칠 수 있도록 노력하였음.

현재 장래 희망

- **장래 희망:** 특수 효과 전문가
- **장래 희망을 갖게 된 까닭:** 작년에 본 영화에서 특수 효과로 만들어 낸 세계가 정말 실감 나고 신기해서 그 일을 하고 싶어짐.
- **장래 희망을 이루기 위한 노력:** 특수 효과의 기초가 되는 프로그램을 배우고 있음.

🐹 **어휘 풀이**

▼ **장래 희망**|장차 장 將, 올 래 來, 바랄 희 希, 바랄 망 望|　장차 하고자 하는 일이나 직업에 대한 희망.
　　예 내 장래 희망은 만화 작가이다.

▼ **뿌듯했고**　기쁨이나 감격이 마음에 가득 차서 벅찼고.
　　예 내 그림이 상을 받게 되었다니 뿌듯했고 눈물이 날 것 같았다.

▼ **특수 효과**|특별할 특 特, 다를 수 殊, 본받을 효 效, 열매 과 果|　영화나 텔레비전, 공연 따위에서 연출 효과를 높이기 위하여 특수한 기술적 수단으로 만들어 낸 이미지. 또는 그런 기술.
　　예 이 영화는 특수 효과로 우주의 모습을 실감 나게 보여 주었다.

▼ **실감**|열매 실 實, 느낄 감 感|　실제로 체험하는 느낌. 예 이 그림은 정말 실감 나는구나.

▶정답 및 해설 19쪽

낱말 쓰기

다음 그림을 보고, 태민이의 장래 희망이 무엇인지 쓰세요.

우아, 미래의 모습이 진짜처럼 보여요.

태민

그건 바로 특수 효과 덕분이란다.

그렇군요. 저도 특수 효과 전문가가 되고 싶어요.

제 꿈은 ㅌ ㅅ ㅎ ㄱ ㅈ ㅁ ㄱ 입니다.

문장 쓰기

태민이가 **1**에서 답한 장래 희망을 갖게 된 까닭과 지금 어떤 노력을 하고 있는지 보기 에서 알맞은 말을 각각 골라 쓰세요.

> 보기
>
> 프로그램을 열심히 배우고   특수 효과가 정말 실감 나고

(1) 영화에서 본

신기해서 이 직업에 관심이 생겼습니다.

(2) 요즘은 특수 효과를 만드는 데 필요한

있습니다.

한 편 쓰기

1과 **2**에서 쓴 내용을 넣어 태민이가 장래 희망을 소개하는 내용을 쓰세요.

장래 희망	제 꿈은 ❶ _____ 입니다. 영화에서 본 ❷ _____ 이 직업에 관심이 생겼습니다. 요즘은 특수 효과를 만드는 데 필요한 ❸ _____.

1
낱말
고쳐쓰기

다음 문장의 밑줄 그은 낱말을 모음자에 주의하며 바르게 고쳐 쓰세요.

(1) 나의 <u>장례</u> 희망은 특수 효과 전문가이다.

→ ☐ ☐

(2) 만들어 낸 <u>세개</u>가 정말 실감 났다.

→ ☐ ☐

힌트 'ㅐ', 'ㅔ', 'ㅒ', 'ㅖ'와 같은 모음자는 헷갈리기 쉬우므로 잘 구분하여 쓰세요.

2
문장
고쳐쓰기

두 문장을 이어 주는 말로 알맞은 낱말을 보기 에서 골라 넣어 친구가 쓴 글 을 고치고, 문장을 따라 쓰세요.

보기

| 그래서 | 그러나 | 그리고 |

친구가 쓴 글

3학년 때에는 제 장래 희망이 선생님이었습니다. 지금의 장래 희망은 특수 효과 전문가입니다.

3	학	년	V	때	에	는	V	제	V	장	래	V
희	망	이	V	선	생	님	이	었	습	니	다	.
		V	지	금	의	V	장	래	V	희	망	은	V
특	수	V	효	과	V	전	문	가	입	니	다	.

▶ 정답 및 해설 19쪽

● 다음 그림을 보고, 태풍이의 장래 희망에 알맞은 내용을 보기 에서 골라 빈칸에 쓰세요.

보기

멋진 건물을 짓는 아빠의 모습을 보고 그런 생각을 하게 되었습니다.

텔레비전에서 멋진 태권도 경기를 보고 그런 꿈을 가지게 되었습니다.

그래서 세계의 유명한 건축물을 찾아보며 공부하고 있습니다.

그래서 태권도 학원에서 매일 열심히 연습을 하고 있습니다.

장래 희망	제 꿈은 태권도 국가 대표가 되어 올림픽 대회에 나가는 것입니다. _____

 힌트 장래 희망을 갖게 된 까닭은 무엇인지, 그것을 이루기 위해서 어떤 노력을 하고 있는지 찾아 써요.

자기소개서 쓰기

밤톨
다들 자기소개서 썼지? 어서 교실 게시판에 붙이자.

기찬
친구들에게 나를 소개한다니 떨려.

달래
나는 자기소개서를 쓰면서 나를 되돌아볼 수 있어서 좋았어.

이제 자기소개서를 쓸 때 어떤 내용을 써야 할지 모두 알았죠? 지금까지 공부한 내용을 참고해서 자기소개서를 써 봐요.

를 써라!

친구들이 자신에게 궁금해할 만한 것들을 생각해 보고,

성격, 특별한 경험, 취미나 특기, 장래 희망 등

자신을 잘 나타낼 수 있는 항목을 정해 자기소개서를 써 봐요.

남들과는 다른 자신만의 이야기를 진솔하게 담아 꾸밈없이 쓰도록 해요.

▶정답 및 해설 20쪽

◉ 자기소개서를 쓰는 방법에 맞게 빈칸에 알맞은 말을 따라 쓰세요.

> • 성 격 은 어떠한지 써요.
>
> • 자신에게 영향을 끼친 특별한 경 험 을 써요.
>
> • 즐겨 하는 취 미 나 잘한다고 생각하는 특 기 를 써요.
>
> • 장래 희 망 이 무엇인지 써요.

3
주

◉ 위에서 따라 쓴 말을 모두 찾아 색칠해 보고, 어떤 모양이 나오는지 알아보아요.

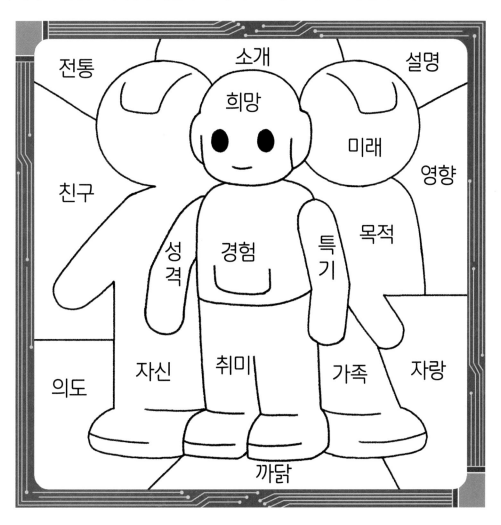

5일 자기소개서 쓰기

○ 다음은 정인이가 자기소개서를 쓰기 위해 작성한 생각 그물이에요. 이것을 보고, 정인이의 자기소개서를 완성해 보세요.

성격
- 신중한 성격
- 신중한 성격 덕분에 실수를 잘 하지 않음.

친구들이 자신에게 궁금해할 만한 내용을 골라 소개해 봐.

자기소개서

취미나 특기
- 노래 부르기
- 노래를 잘하기 위해서는 꾸준히 연습해야 한다는 것을 깨달아 매일 발성 연습을 함.

특별한 경험
- 수업 시간에 선생님께 노래를 잘한다는 칭찬을 들음.
- 노래를 좋아하게 됨.

장래 희망
- 책 읽기와 글쓰기를 좋아해서 훌륭한 작가가 되고 싶음.
- 글쓰기 실력을 높이기 위해 매일 일기를 씀.

어휘 풀이

▼ **신중**|삼갈 신 愼, 삼갈 중 重| 매우 조심스러움. 예 설아는 신중한 태도로 정답을 골랐다.

▼ **발성**|필 발 發, 소리 성 聲| 목소리를 냄. 또는 그 목소리.
  예 호연이는 발성이 좋아서 호연이가 발표를 하면 발표 내용이 잘 들린다.

▼ **작가**|지을 작 作, 집 가 家| 문학 작품, 사진, 그림, 조각 따위의 예술품을 창작하는 사람.
  예 사진 작가인 이모는 일상의 평범한 모습도 다른 느낌으로 표현하신다.

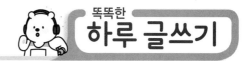
낱말 쓰기

1 단계

다음 그림을 보고, 정인이의 성격은 어떠한지 알맞은 말을 빈칸에 쓰세요.

한 번 더 생각해 보고 결정하자. 신중한 사람은 실수하지 않는다고 하잖아.

정인

저는 ㅅ ㅈ ㅎ 성격입니다. 그런

성격 덕분에 실수를 잘 하지 않습니다.

문장 쓰기

2 단계

정인이의 특별한 경험과 취미나 특기를 소개하는 내용을 쓰려고 해요. 각 항목에 어울리는 내용을 보기 에서 각각 골라 문장을 완성하세요.

보기

노래를 잘한다는 칭찬   공부를 못한다는 꾸중   노래를 부르는 것   거리를 달리는 것

(1)	특별한 경험	수업 시간에 선생님께 ☐☐☐☐☐☐☐☐☐ ☐☐ 을 듣고 노래를 좋아하게 되었습니다.
(2)	취미나 특기	저는 ☐☐☐☐☐☐☐☐ 을 좋아하기 때문에 노래를 더 잘하기 위해서 발성 연습을 하고 있습니다.

한 편 쓰기

3 단계

정인이의 장래 희망을 소개하는 내용을 보기 에서 각각 골라 쓰세요.

보기

매일 일기를 쓰며 글쓰기 실력을 기르고 있습니다   책 읽기와 글쓰기를 좋아해서

장래 희망	저의 장래 희망은 훌륭한 작가가 되는 것입니다. ❶ _____ _____ 작가를 꿈꾸게 되었습니다. 요즘은 작가가 되기 위해서 ❷ _____ _____.

1
낱말
고쳐쓰기

다음 ⟨ 설명 ⟩을 잘 읽고, 밑줄 그은 낱말을 바르게 고쳐 쓰세요.

⟨설명⟩

'듣다'처럼 낱말에서 모양이 바뀌지 않는 부분의 받침 'ㄷ'은 '들으니'의 경우처럼 모음으로 시작하는 말 앞에서 'ㄹ'로 바뀌는 경우가 있습니다. 예 묻다 → 물어서, 물으니

노래를 잘하기 위해서는 꾸준히 연습해야 한다는 것을 깨달아 매일 발성 연습을 하고 있습니다.

→ 노래를 잘하기 위해서는 꾸준히 연습해야 한다는 것을 ☐☐☐ 매일 발성 연습을 하고 있습니다.

2
문장
고쳐쓰기

다음 정인이의 말에서 밑줄 그은 부분의 띄어쓰기를 바르게 고치고, 문장을 따라 쓰세요.

저의 장래 희망은 훌륭한 작가가 되는 것입니다.
책읽기와 글 쓰기를 좋아하기 때문입니다.

정인

저	의	∨	장	래	∨	희	망	은	∨	훌	룽	한	∨
작	가	가	∨	되	는	∨	것	입	니	다	.		∨
			∨					∨	좋	아	하	기	∨
때	문	입	니	다	.								

힌트

'글쓰기'는 '생각이나 사실 따위를 글로 써서 표현하는 일.'을 뜻하는 하나의 낱말이랍니다.

● 자기소개서를 쓰는 방법을 생각하며 다음 내용에 맞게 자신의 자기소개서를 써 보세요.

•	성격	자신의 성격, 그러한 성격이 드러나는 행동이나 습관 등
•	특별한 경험	기억에 남는 특별한 경험, 그 경험이 자신에게 끼친 영향 등
•	취미나 특기	취미나 특기, 그러한 취미나 특기를 가지게 된 까닭, 자신이 하는 노력 등
•	장래 희망	장래 희망, 장래 희망을 갖게 된 까닭, 그 꿈을 이루기 위해 하고 있는 노력 등

자기소개서

이름: _____

3주

성격	
특별한 경험	
취미나 특기	
장래 희망	

힌트　자기소개서를 쓸 때에는 자기를 다른 사람에게 잘 알릴 수 있는
내용이 무엇인지 생각해서 써요. 성격, 특별한 경험, 취미나 특기, 장래 희망 외에
자신의 특징을 잘 드러낼 수 있는 것은 무엇이 있을지 더 생각해 보아도 좋아요.

생활 어휘 다음 만화를 보며 속담의 뜻을 알아보고, 상황에 맞게 속담을 써 보세요.

개똥도 약에 쓰려면 없다

속담의 뜻을 알아봐요!

개똥도 약에 쓰려면 없다

이 속담은 "평소에 흔하던 것도 막상 꼭 필요해 쓰려고

구하면 없다."라는 뜻입니다.

이제 이 속담을 넣어 상황에 맞게 써 볼까요?

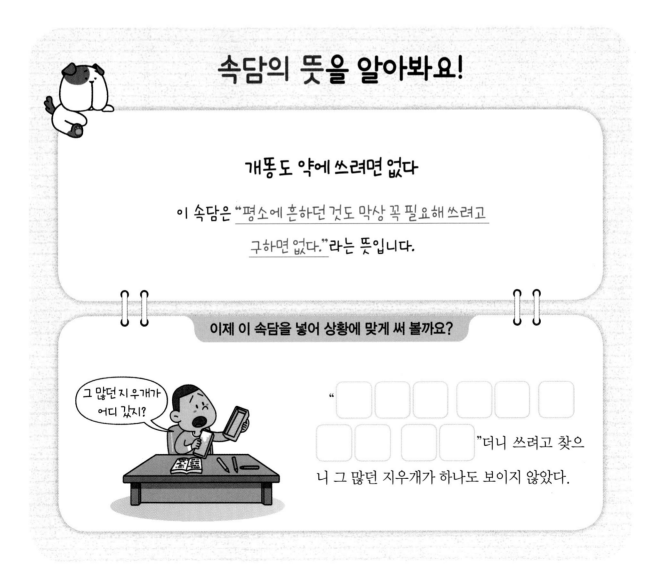

"□□□ □□ □□

□□ □□□"더니 쓰려고 찾으

니 그 많던 지우개가 하나도 보이지 않았다.

바밤별의 밤송이가 지구로 가는 우주 여행을 시작했어요. 어떤 낱말의 뜻인지 알맞은 답을 찾아 따라 쓰며, 지구를 찾아가세요.

창의 3주에 쓰인 **낱말과 그 뜻**을 익히며 밤송이가 지구로 여행하는 길을 알아봅니다.

◉ 다음 코딩 명령을 따라가면 이태석 신부님께서 남수단에서 맡아 하신 일을 볼 수 있어요. 이태석 신부님께서 남수단에서 하신 일이 무엇인지 모두 찾아 써 보세요.

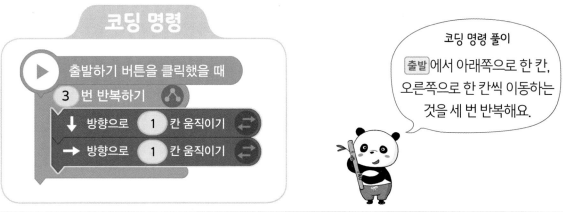

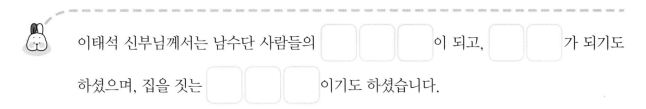

이태석 신부님께서는 남수단 사람들의 ☐☐☐ 이 되고, ☐☐ 가 되기도 하셨으며, 집을 짓는 ☐☐☐ 이기도 하셨습니다.

 코딩　**코딩 명령**을 따라 이동하며 남수단 사람들을 돕기 위해서 **이태석 신부님께서 하신 일**을 찾아 봅니다.

3주 특강

◉ 달래가 맛있는 감자빵을 만들려고 해요. 감자빵 다섯 개를 만드는 데 필요한 우유와 버터의 양을 계산해 빈칸에 각각 숫자로 쓰세요.

감자빵 다섯 개를 만들려면 반죽에 삶은 감자는 2.5개, 밀가루는 100g, 우유는 [　　] ml

를 넣어요. 그리고 설탕은 10작은술, 소금은 5작은술, 버터는 [　　] g을 넣어요.

 융합 국어+수학 감자빵 한 개를 만들기 위해서 **어떤 재료가 얼마만큼 필요한지** 살펴보고, 감자빵 다섯 개를 만드는 데 필요한 재료의 양을 각각 계산해 봅니다.

130 • 똑똑한 하루 글쓰기

똑똑한
하루 창의·융합·코딩

▶ 정답 및 해설 21~22쪽

◉ 기찬이가 수영장에 수영 연습을 하러 갔어요. 수영장에서 지켜야 할 안전 수칙이 무엇인지 살펴보고, 행동이 바르지 <u>않은</u> 친구를 찾아 모두 ○표를 하세요.

 융합
국어+체육
수영장을 이용할 때에는 자신과 다른 사람의 안전을 위해서 지켜야 할 규칙이 있습니다. **'수영장 안전 수칙'의 내용을 잘 지키지 않은 친구**를 찾아 봅니다.

1 다음 중 다른 사람에게 자기를 소개하기 위해 쓴 글을 골라 ○표를 하세요.

(1) 일기 　　　　(　　　)
(2) 자기소개서 　(　　　)

2 다음 그림에서 밤송이의 성격에 알맞은 말을 찾아 빈칸에 쓰고, 문장을 따라 쓰세요.

저	는	V				이
많	은	V	성	격	이	어	서
사	람	들	에	게	V	질	문
을	V	많	이	V	합	니	다	.

3 다음 그림을 보고 알 수 있는 진아의 성격으로 알맞은 것에 ○표를 하세요.

(1) 얌전하다. 　(　　　)
(2) 활발하다. 　(　　　)

4 다음 글을 읽고, 글쓴이에게 큰 영향을 끼친 경험은 무엇인지 빈칸에 들어갈 알맞은 말을 쓰세요.

> 저는 「울지 마 톤즈」라는 다큐멘터리 영화를 보고 이태석 신부님의 사랑과 희생 정신에 큰 감동을 받았습니다. 영화를 본 뒤부터 주변에 어려움을 겪는 사람이 있으면 저도 도움을 주기 위해 노력하고 있습니다.

> 「　　　　」라는 다큐멘터리 영화를 본 일

(　　　　　　　　)

[5~6] 다음 기찬이가 쓴 자기소개서의 일부분을 읽고, 물음에 답하세요.

> 저는 수영을 좋아합니다. 처음에는 건강해지려고 시작했는데, 지금은 가장 좋아하는 취미가 되었습니다. 요즘은 수영을 더 잘하기 위해서 하루도 빼먹지 않고 수영장에 다니며 연습하고 있습니다.

5 기찬이가 수영을 시작한 까닭은 무엇인가요?

(　　　)

① 건강해지려고
② 친구를 따라와서
③ 선생님의 추천으로
④ 수영이 재미있어 보여서
⑤ 멋진 수영 선수의 모습을 보고

6 이 글을 읽고 기찬이에 대해 알 수 있는 내용은 무엇인가요? (   )

① 고향
② 사는 곳
③ 가족 관계
④ 장래 희망
⑤ 취미나 특기

[7~8] 다음 태민이가 쓴 자기소개서의 일부분을 읽고, 물음에 답하세요.

제 꿈은 특수 효과 전문가입니다. 영화에서 본 특수 효과가 정말 실감 나고 신기해서 이 직업에 관심이 생겼습니다. 요즘은 특수 효과를 만드는 데 필요한 프로그램을 열심히 배우고 있습니다.

7 태민이의 장래 희망은 무엇인지 이 글에서 찾아 쓰세요.

(   )

8 태민이가 7에서 답한 장래 희망을 갖게 된 까닭으로 알맞은 말을 빈칸에 쓰세요.

영화에서 본 | | | | | 가 정말 실감 나고 신기해서 이 직업에 관심이 생겼다.

[9~10] 다음 개요표를 보고, 물음에 답하세요.

성격	㉠
특별한 경험	㉡
취미나 특기	• 노래 부르기 • 노래를 잘하기 위해서는 꾸준히 연습해야 한다는 것을 깨달아 매일 발성 연습을 함.
장래 희망	• ㉢책읽기와 글 쓰기를 좋아해서 훌륭한 작가가 되고 싶음. • 글쓰기 실력을 높이기 위해 매일 일기를 씀.

9 다음 내용이 각각 ㉠과 ㉡ 중 어디에 들어가야 할지 기호를 쓰세요.

(1)
• 신중한 성격
• 신중한 성격 덕분에 실수를 잘 하지 않음.

(   )

(2)
• 수업 시간에 선생님께 노래를 잘한다는 칭찬을 들음.
• 노래를 좋아하게 됨.

(   )

글쓰기

10 ㉢의 띄어쓰기를 바르게 고쳐 다음 칸에 옮겨 쓰세요. (첫 칸을 비우지 않고 쓰세요.)

4주

4주에는 무엇을 공부할까? ❶

글을 고쳐 써 보자!

1-1 설명문에 들어갈 지식이나 정보를 설명하는 문장을 고쳐 쓰는 방법에 대해 알맞게 말한 친구의 이름을 쓰세요.

글봇

달래

(   )

1-2 다음 중 설명문에서 지식이나 정보를 설명하는 문장에 사용하기에 알맞은 표현에 ○표를 하세요.

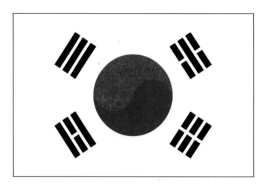

(1) 태극기의 사괘는 각각 하늘, 땅, 물, 불을 뜻합니다.   (   )

(2) 태극기를 보면 나라를 지키려고 노력했던 독립운동가들이 생각납니다.   (   )

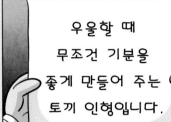

▶ 정답 및 해설 23쪽

2-1 판판의 말은 어떤 글을 고쳐 쓸 때 주의해야 할 점인지 알맞은 글의 종류를 골라 따라 쓰세요.

| 상 | 품 | 광 | 고 | 문 |

| 독 | 서 | 감 | 상 | 문 |

2-2 다음은 상품 광고문에 사용된 표현이에요. 다음 표현을 고쳐 쓰는 방법으로 알맞은 것에 ○표를 하세요.

절대로 발이 아프지 않은 신발!

(1) '절대로'라는 표현은 과장된 표현이므로 고쳐 써야 한다. (   )

(2) 주장과 관련이 없거나 주장을 뒷받침하지 못하는 근거를 찾아 주장과 관련 있고 주장을 뒷받침하는 근거로 고쳐 써야 한다. (   )

논설문 고쳐 쓰기

달래
운동을 하면 글쓰기 실력이 는다고 근거를 고쳐 쓰면 좋을 것 같아.

기찬
그건 주장을 뒷받침하는 근거가 아니잖아.

글봇
그럼 기찬이가 근거를 바르게 고쳐 써 보는 건 어때?

안녕, 친구들~.
'매일 30분씩 운동을 하자.'를 주제로 쓴 논설문을 고쳐 써 볼게요.

논설문의 근거를 주장에 어울리게 고쳐 써라!

글을 쓰고 나서 내용과 표현이 알맞도록 다시 쓰는 것을 고쳐쓰기라고 해요.

논설문은 어떤 문제에 대한 자신의 주장과 주장을 뒷받침하는 근거를 쓴 글이에요.

논설문을 고쳐 쓸 때에는 주장과 관련이 없거나 주장을 뒷받침하지 못하는 근거를 찾아

주장과 관련 있고 주장을 뒷받침하는 근거로 고쳐 써야 해요.

◉ 그림에 맞는 퍼즐 모양을 찾아 ○표를 하고, 논설문의 근거를 고쳐 쓰는 방법을 알아보아요.

사진

상상

○○과 관련 있고 주장을 뒷받침하는 근거로 고쳐 써요.

주장

 논설문의 근거를 고쳐 쓰는 방법을 생각하며, '자전거를 탈 때 헬멧을 쓰자.'는 주장에 알맞도록 근거를 고쳐 쓴 문장을 따라 쓰세요.

> 자전거를 타도 절대로 넘어지지 않는다.

↓

부	상	의	V	위	험	을	V	줄	일	V	수	V
있	다	.										

논설문 고쳐 쓰기

● 다음 논설문을 읽고, 논설문의 주장에 어울리게 근거 ㉠과 ㉡을 고쳐 쓰세요.

사용하지 않는 전자 제품의 플러그를 뽑자

우리는 휴대 전화 충전부터 냉장고, 에어컨 등의 전자 제품 사용에 이르기까지 일상생활에서 매일 전기를 사용합니다. 그런데 이러한 과정에서 불필요하게 전기를 낭비하는 경우가 있습니다. 사용하지 않는 전자 제품의 플러그는 뽑아 두면 어떨까요?

㉠첫째, 사용하지 않는 전자 제품의 플러그를 뽑으면 전기세를 낭비할 수 있습니다. 한국전기연구원에 따르면, 사용하지 않는 전자 제품의 플러그를 뽑으면 연간 1인당 평균 38.3킬로와트의 대기 전력을 아낄 수 있다고 합니다. 전기는 사용하는 만큼 비용을 지불해야 하므로, 사용하지 않는 전자 제품의 플러그를 뽑으면 전기세 지출을 줄일 수 있습니다.

㉡둘째, 사용하지 않는 전자 제품의 플러그를 뽑으면 건강이 좋아집니다. 한국전기연구원에 따르면, 사용하지 않는 전자 제품의 플러그를 뽑으면 발전 시 발생하는 이산화 탄소 배출량을 1년에 12.6킬로그램 줄일 수 있다고 합니다. 이산화 탄소 배출량을 줄이면 지구의 기온 상승 폭을 낮출 수 있고, 기후 변화로 인한 피해도 줄일 수 있습니다.

사용하지 않는 플러그를 뽑아 두면 전기세를 줄일 수 있고, 최근 세계적 화제인 환경 문제 해결에도 도움이 됩니다. 주변을 잘 살펴 사용하지 않는 전자 제품의 플러그를 뽑아 두는 일을 생활화합시다.

🐭 어휘 풀이

플러그

▼**플러그**　전기 회로를 쉽게 접속하거나 절단하는 데 사용하기 위하여 코드 끝에 부착하는 접속 기구.

▼**대기 전력**|기다릴 대 待, 틀 기 機, 번개 전 電, 힘 력 力|　전원을 꺼 둔 상태에서도 전기 제품이 자체적으로 써서 없애는 전력. 예 텔레비전을 꺼도 대기 전력이 소모된다.

▼**지불**|지탱할 지 支, 떨칠 불 拂|　돈을 내어 줌. 또는 값을 치름. 예 요금을 지불해야 버스를 탈 수 있다.

▼**발전**|필 발 發, 번개 전 電|　전기를 일으킴. 예 풍력 발전은 바람을 이용해 전기를 만든다.

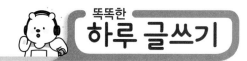

▶ 정답 및 해설 23쪽

낱말 쓰기

근거 ㉠을 주장에 알맞은 근거로 고쳐 쓸 때, 빈칸에 알맞은 낱말을 보기 에서 골라 쓰세요.

보기

소비   절약   지출

사용하지 않는 전자 제품의 플러그를 뽑으면 전

기세를 _____ 할 수 있습니다.

문장 쓰기

다음 글봇의 말을 읽고, 근거 ㉡을 주장에 알맞은 근거로 고쳐 쓰세요.

사용하지 않는 플러그를 뽑으면 지구 환경을 보호할 수 있어!

사용하지 않는 전자 제품의 플러그를 뽑으면

_____ 있습니다.

한 편 쓰기

1과 2에서 답한 내용을 넣어 논설문의 가운데 부분을 바르게 고쳐 쓰세요.

첫째, ❶ _____

_____

한국전기연구원에 따르면, 사용하지 않는 전자 제품의 플러그를 뽑으면 연간 1인당 평균 38.3킬로와트의 대기 전력을 아낄 수 있다고 합니다. 전기는 사용하는 만큼 비용을 지불해야 하므로, 사용하지 않는 전자 제품의 플러그를 뽑으면 전기세 지출을 줄일 수 있습니다.

둘째, ❷ _____

_____

한국전기연구원에 따르면, 사용하지 않는 전자 제품의 플러그를 뽑으면 발전 시 발생하는 이산화 탄소 배출량을 1년에 12.6킬로그램 줄일 수 있다고 합니다. 이산화 탄소 배출량을 줄이면 지구의 기온 상승 폭을 낮출 수 있고, 기후 변화로 인한 피해도 줄일 수 있습니다.

4 주

1_일 똑똑한 하루 글쓰기 고쳐쓰기

1일 똑똑한 하루 글쓰기 고쳐쓰기

▶ 정답 및 해설 23쪽

1 낱말 고쳐쓰기

다음 두 낱말의 뜻과 예를 보고, 문장에서 밑줄 그은 낱말을 각각 바르게 고쳐 쓰세요.

> **화재** 불이 나는 재앙. 또는 불로 인한 재난. ㉠ <u>화재</u>로 집이 불에 탔다.
>
> **화제** 이야기할 만한 재료나 소재. 이야깃거리.
>
> ㉠ 전국 미술 대회에서 1등을 한 미나는 우리 학교 <u>화제</u>의 인물이다.

(1) 과열로 <u>화제</u>가 발생했다.

화 제 → ☐☐

(2) 환경 문제는 세계적 <u>화재</u>이다.

화 재 → ☐☐

2 문장 고쳐쓰기

다음 ⟨ 친구가 고쳐 쓴 문장 ⟩ 과 같이 밑줄 그은 부분의 띄어쓰기를 바르게 고치고, 문장을 따라 쓰세요.

> **⟨ 친구가 고쳐 쓴 문장 ⟩**
>
> 사용하지 않는 전자 제품의 플러그를 뽑으면 연간 <u>1인 당</u> 평균 38.3킬로와트의 대기 전력을 아낄 수 있다.
>
> ↓
>
> 사용하지 않는 전자 제품의 플러그를 뽑으면 연간 <u>1인당</u> 평균 38.3킬로와트의 대기 전력을 아낄 수 있다.

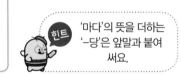

힌트 '마다'의 뜻을 더하는 '-당'은 앞말과 붙여 써요.

자	전	거	를	∨	빌	리	려	면	∨	시	간	∨
당	∨	이	천	∨	원	을	∨	내	야	∨	한	다.

↓

자	전	거	를	∨	빌	리	려	면	∨			∨
이	천	∨	원	을	∨	내	야	∨	한	다.		

● 다음 논설문의 주장을 정리해서 쓰고, 근거 ㉠을 주장에 알맞은 근거로 고쳐 쓰세요.

중학교에 가서도 하루 한 시간씩 걷기 운동을 하자

　교육부의 2019년 건강 조사 결과에 따르면, 초등학생의 주 3일 이상 권장 운동량 실천율은 58.3퍼센트이지만, 중학생이 되면 그 비율이 35.7퍼센트로 급격히 떨어진다고 합니다. 학년이 올라갈수록 학생들의 운동량이 점점 줄어든다는 것입니다. 중학교에 가서도 꾸준히 하루 한 시간씩 걷기 운동을 실천해 보면 어떨까요? 걷기 운동을 해야 하는 까닭은 다음과 같습니다.

　첫째, 걷기 운동은 생활 속에서 가장 쉽게 실천할 수 있는 운동입니다. 걷기 운동은 별도의 준비물이 필요하지 않고, 특별한 장소가 필요하지 않아 일상생활에서도 쉽게 실천할 수 있습니다.

　㉠둘째, 걷기 운동을 하면 영양소를 골고루 섭취할 수 있습니다. 걷기 운동은 대표적인 유산소 운동으로 체중 감량이나 기초 체력 향상에 도움이 됩니다. 그뿐만 아니라, 걷기 운동을 꾸준히 하면 공부 스트레스를 줄이는 데도 도움이 됩니다.

　이처럼 걷기 운동은 생활 속에서 가장 쉽게 실천할 수 있는 운동이고, 걷기 운동을 하면 건강도 좋아집니다. 중학교에 가서도 꾸준히 걷기 운동을 하루에 한 시간씩 실천합시다.

주장	중학교에 가서도 하루 한 시간씩 □□□□을 합시다.
고쳐 쓴 근거 ㉠	둘째,

힌트　글쓴이의 주장을 바르게 정리하여 쓰고, 근거 ㉠을 주장과 관련 있고 주장을 뒷받침하는 근거로 고쳐 써 보세요.

설명문 고쳐 쓰기

설명문의 불확실한 표현이나 사실이 아닌 정보**를 고쳐 써라!**

설명문은 어떤 지식이나 정보를 이해하기 쉽게 객관적으로 전달하는 글이에요.

지식이나 정보를 설명할 때에는 자신의 생각이나 느낌을 담아 쓴 문장은 쓰면 안 돼요.

'~ㄹ 수도 있다.', '~을 것이라고 생각한다.'와 같이 불확실한 표현을 사용한 문장은

객관적인 정보를 담은 문장으로 고쳐 써요.

그리고, 사실이 아닌 정보는 사실대로 고쳐 써야 해요.

● 설명문을 고쳐 쓰는 방법에 맞게 빈칸에 알맞은 말을 쓰고, 퍼즐판에서 찾아 ○표를 하세요.

❶ ☐☐☐ 은 어떤 지식이나 정보를 이해하기 쉽게 객관적으로 전달하는 글이에요.

지식이나 정보를 설명할 때에는 자신의 ❷ ☐☐ 이나 느낌을 담아 쓴 문장은 쓰면 안 돼요.

생	실	미	불
각	중	비	확
상	가	사	실
품	설	명	문

지식이나 정보를 설명할 때에는 ❸ ☐☐☐ 한 표현을 사용한 문장은 객관적인 정보를 담은 문장으로 고쳐 써요.

사실이 아닌 정보는 ❹ ☐☐ 대로 고쳐 써요.

○ 다음 누리집에 올라온 설명문을 읽고, 지식이나 정보를 전달하는 문장 ㉠과 ㉡을 바르게 고쳐 쓰세요.

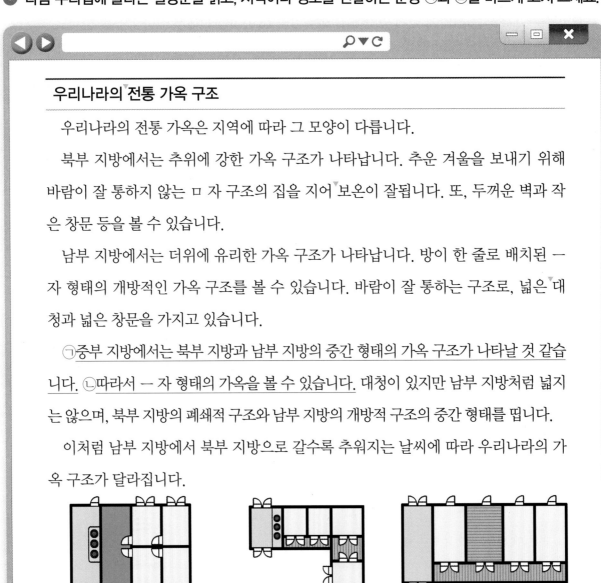

우리나라의 전통 가옥 구조

우리나라의 전통 가옥은 지역에 따라 그 모양이 다릅니다.

북부 지방에서는 추위에 강한 가옥 구조가 나타납니다. 추운 겨울을 보내기 위해 바람이 잘 통하지 않는 ㅁ 자 구조의 집을 지어 보온이 잘됩니다. 또, 두꺼운 벽과 작은 창문 등을 볼 수 있습니다.

남부 지방에서는 더위에 유리한 가옥 구조가 나타납니다. 방이 한 줄로 배치된 ㅡ 자 형태의 개방적인 가옥 구조를 볼 수 있습니다. 바람이 잘 통하는 구조로, 넓은 대청과 넓은 창문을 가지고 있습니다.

㉠중부 지방에서는 북부 지방과 남부 지방의 중간 형태의 가옥 구조가 나타날 것 같습니다. ㉡따라서 ㅡ 자 형태의 가옥을 볼 수 있습니다. 대청이 있지만 남부 지방처럼 넓지는 않으며, 북부 지방의 폐쇄적 구조와 남부 지방의 개방적 구조의 중간 형태를 띱니다.

이처럼 남부 지방에서 북부 지방으로 갈수록 추워지는 날씨에 따라 우리나라의 가옥 구조가 달라집니다.

▲ 북부 지방   ▲ 중부 지방   ▲ 남부 지방

🐹 **어휘 풀이**

▼**전통 가옥**|전할 전 傳, 거느릴 통 統, 집 가 家, 집 옥 屋| 옛날부터 전해 내려오거나 옛날 방식으로 지은 사람이 사는 집. ⓔ 민속촌에서 전통 가옥의 형태를 볼 수 있었다.

▼**보온**|보전할 보 保, 따뜻할 온 溫| 주위의 온도에 관계없이 일정한 온도를 유지함.
ⓔ 전기밥솥에는 보온 기능이 있다.

▼**대청**|큰 대 大, 관청 청 廳| 한옥에서, 몸채의 방과 방 사이에 있는 큰 마루. ⓔ 대청에 누워 부채질을 했다.

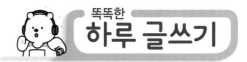

1 문장 ㉠을 객관적인 정보를 담은 표현으로 바르게 고친 낱말을 보기 에서 골라 쓰세요.

> **보기**
>
> 나타납니다   나타날까요   나타났구나

중부 지방에서는 북부 지방과 남부 지방의 중간 형태의 가옥 구조가

.

문장 쓰기

2 다음 그림과 밤톨의 말을 보고, 문장 ㉡을 사실대로 고쳐 쓰세요.

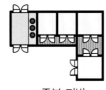

▲ 중부 지방

중부 지방에서는 ㄱ, ㄴ 자 형태의
가옥을 볼 수 있어.

따라서   ,

있습니다.

한 편 쓰기

3 **2** 에서 완성한 문장을 이용해서 설명문의 지식이나 정보를 전달하는 문장 ㉠과 ㉡을 바르게
고쳐 쓰세요.

	❶		∨					∨	북	부	∨	지
방	과	∨	남	부	∨	지	방	의	∨			∨
			∨			∨				∨		
		❷따	라	서	∨				∨		∨	
	∨				∨		∨		∨			

▶ 정답 및 해설 24쪽

1
낱말
고쳐쓰기

다음 친구가 쓴 문장 에서 밑줄 그은 낱말을 뜻이 같은 다른 낱말로 바꿔 쓰려고 해요. 보기 에서 알맞은 낱말을 골라 바꿔 쓰세요.

보기

| 집 | 방 | 창 |

친구가 쓴 문장

북부 지방에서는 추위에 강한 <u>가옥</u> 구조가 나타납니다.

↓

고쳐 쓴 문장

북부 지방에서는 추위에 강한 ⬜ 구조가 나타납니다.

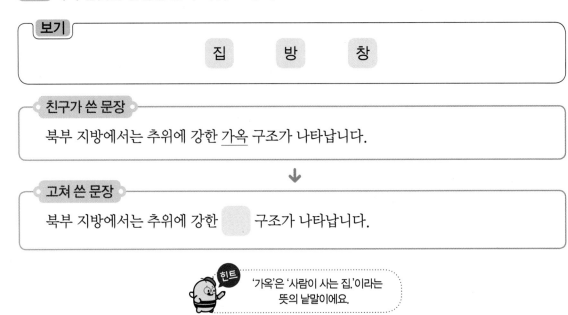

힌트 ‘가옥’은 ‘사람이 사는 집.’이라는 뜻의 낱말이에요.

2
문장
고쳐쓰기

다음 문장에서 밑줄 그은 부분의 띄어쓰기를 각각 바르게 고치고, 문장을 따라 쓰세요.

고쳐 쓴 문장

바람이 <u>잘통하지</u> 않는 ㅁ 자 구조의 집을 지어 보온이 <u>잘 됩니다.</u>

↓

바	람	이	∨		∨				∨	않	는	∨
ㅁ	∨	자	∨	구	조	의	∨	집	을	∨	지	어	∨
보	온	이	∨			.							

힌트 ‘아주 적절하게. 또는 아주 알맞게.’의 뜻을 가진 낱말인 ‘잘’은 뒷말과 띄어 써요. 하지만 ‘일, 현상, 물건 따위가 썩 좋게 이루어지다.’라는 뜻의 ‘잘되다’는 한 낱말이므로 붙여 써요.

● 다음 설명문을 읽고, 문장 ㉠~㉢ 중 고쳐 써야 할 문장을 골라 기호를 쓰고 바르게 고쳐 쓰세요.

한국과 일본의 젓가락

　일본과 한국은 밥, 국, 반찬을 먹고, 젓가락을 사용하는 식사 문화가 있습니다. 한국과 일본에서 사용하는 젓가락의 공통점과 차이점에 대해 알아볼까요?

　㉠한국과 일본의 젓가락은 음식을 집어 먹거나 물건을 집는 데 쓰는 기구이고, 한 쌍의 가늘고 짤막한 막대형 물건이라는 공통점이 있습니다.

　그런데 한국은 주로 쇠젓가락을 사용하지만, 일본은 주로 나무젓가락을 사용합니다. ㉡한국의 젓가락은 일본의 젓가락에 비해 납작한 편일 수도 있습니다. 반면 ㉢일본의 젓가락은 한국의 젓가락에 비해 젓가락 끝이 좀 더 뾰족합니다.

　이처럼 비슷해 보이는 한국과 일본의 젓가락에는 자세히 살펴보면 차이점이 있습니다.

❶ 고쳐야 할 문장: (　　　　　　　　　)

❷ 고쳐 쓴 문장:

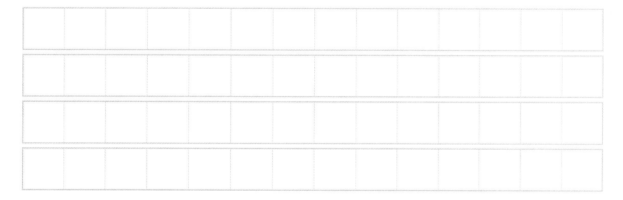

힌트 '~ㄹ 수도 있습니다.'는 불확실한 표현을 사용한 문장이에요. 지식이나
정보를 전달할 때에는 객관적인 정보를 담은 문장으로 고쳐 써야 해요.

학급 신문 기사문 고쳐 쓰기

학급 신문

말하는 판다와 함께 듣는 수업

말하는 판다 판판과 6학년 3반 교실에서 함께 수업을 듣고 있다.

오늘은 학급 신문 기사문을 읽고 고쳐 써 봐요. 말하는 판다와 같은 반에서 수업을 듣고 있다는 기찬 어린이의 기사네요. 여러분, 기사문은 사실 그대로 써야 한답니다.

기찬
사실대로 쓴 거라고요!

판판
똑똑 님이 나를 한 번 직접 보셔야겠는걸?

밤톨
히히. 나 외계인 밤톨이와도 함께 수업을 듣고 있다고 하면 더 놀라시겠는데?

입력

학급 신문 기사문을 사실대로 고쳐 써라!

학급 신문 기사문은 반에서 있었던 일이나 소식을 알리는 글이에요.

학급 신문 기사문은 사실을 있는 그대로 써야 해요.

학급 신문 기사문을 고쳐 쓸 때에는

거짓으로 지어내거나 상상한 내용을 사실대로 고쳐 써요.

● 그림에 맞는 퍼즐 모양을 찾아 ○표를 하고, 학급 신문 기사문을 고쳐 쓰는 방법을 알아보아요.

소원

거짓으로
지어내거나
상상한 내용을
○○대로
고쳐 써요.

천재초등학교

소문

사실

4
주

 학급 신문 기사문을 고쳐 쓰는 방법을 생각하며 학급 신문 기사문의 다음 문장을 따라 쓰세요.

지	난	주	V	수	요	일	에	V	졸	업	V	앨
범	에	V	실	릴	V	사	진	을	V	남	기	기	V
위	해	V	친	구	들	이	V	운	동	장	에	V	모
여	V	사	진	V	촬	영	을	V	했	다	.		

학급 신문 기사문 고쳐 쓰기

● 다음 만화를 읽고, 밤톨이가 거짓으로 지어내거나 상상한 내용을 쓴 학급 신문 기사문을 사실대로 고쳐 쓰세요.

어휘 풀이

▼ **교내** | 학교 교 校, 안 내 內 | 학교의 안. 예 교내 방송에 귀 기울여 주시기 바랍니다.

▼ **곰곰이** 여러모로 깊이 생각하는 모양. 예 곰곰이 문제의 해결 방법을 떠올렸다.

▼ **차지** 사물이나 공간, 지위 따위를 자기 몫으로 가짐. 또는 그 사물이나 공간.
예 새 장난감은 형의 차지가 되었다.

낱말 쓰기

다음은 10월 16일에 실제로 있었던 일이에요. 그림을 보고, 빈칸에 알맞은 말을 각각 쓰세요.

> 10월 16일 학교 운동장에서 교내 줄넘기 대회가 열렸다. 이 대회에서 6학년 3반 ㄱ
>
> ㅊ   학생이 일 등을 하여 상장과 상품을 받았다.

문장 쓰기

다음 그림을 보고, **1** 에서 답한 일에 대한 기찬이의 인터뷰로 알맞은 말을 보기 에서 한 가지 골라 쓰세요.

> **보기**
>
> 열심히 연습한 보람이 있어   상장과 상품을 받아서 무척

> 일 등을 한 기찬 학생은 "일 등을 할 것이라고는 기대하지 못했는데
>
> 기쁩니다."라고 소감을 밝혔다.

한 편 쓰기

1 과 **2** 에서 완성한 내용을 넣어 밤톨이가 쓴 학급 신문 기사문을 고쳐 쓰세요.

> 10월 16일 학교 운동장에서 교내 줄넘기 대회가 열렸다. 이 대회에서 ❶ _____
>
> _____
>
> 일 등을 한 기찬 학생은 "❷ _____
>
> _____"라고 소감을 밝혔다.

1
낱말
고쳐쓰기

다음 달래의 말을 읽고, 밑줄 그은 낱말 대신 바꿔 쓰기에 알맞은 낱말을 보기 에서 골라 바꾸어 쓰세요.

> **보기**
>
> 학내   학교의 내부. 예 <u>학내</u>에는 여러 개의 교실이 있다.
>
> 학급   한 교실에서 공부하는 학생의 단위 집단. 예 종화와 나는 같은 <u>학급</u>에 속해 있다.

꼭 이번 교내 줄넘기 대회에서 일 등을 할 거야!

꼭 이번 ☐☐ 줄넘기 대회에서 일 등을 할 거야!

2
문장
고쳐쓰기

다음 기찬이의 말을 읽고, 밑줄 그은 부분을 바르게 고치고 문장을 따라 쓰세요.

곰곰히 생각해 봤는데, 네가 아무리 열심이 연습해도 일 등은 내 차지야!

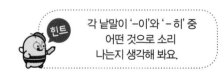

힌트   각 낱말이 '-이'와 '-히' 중 어떤 것으로 소리 나는지 생각해 봐요.

			∨	생	각	해	∨	봤	는	데	,		네
가	∨	아	무	리	∨			∨	연	습	해	도	∨
일	∨	등	은	∨	내	∨	차	지	야	!			

● 실제로 있었던 일을 나타낸 다음 만화를 읽고, 학급 신문 기사문에서 밑줄 그은 부분을 고쳐 쓰세요.

지난주 수요일에 졸업 앨범에 실릴 사진을 남기기 위해 교실에 모여 체육 활동을 했다. 친구들은 돌아가며 개인 촬영도 하고, 모둠 촬영도 했다. <u>질서를 지키지 않고 떠들며 촬영을 방해하는 친구들에게 교장 선생님께서 꾸중을 하셨다.</u> 민사랑 친구는 "아직 졸업을 한다는 것이 실감 나지 않아 조금은 얼떨떨한 기분으로 촬영을 마쳤습니다." 하고 소감을 밝혔다.

이아린 기자

　　지난주 수요일에 졸업 앨범에 실릴 사진을 남기기 위해 ❶＿＿＿＿＿＿＿＿＿＿＿

＿＿＿＿＿＿＿＿＿＿＿＿ 했다. 친구들은 돌아가며 개인 촬영도 하고, 모둠 촬영도 했다.

❷＿＿＿＿＿＿＿＿＿＿＿＿＿＿＿＿＿＿＿＿＿＿＿＿＿＿＿＿＿＿＿＿＿＿

친구들에게 ❸＿＿＿＿＿＿＿＿＿＿＿＿＿＿＿＿＿＿＿＿＿＿＿＿＿＿＿＿
하셨다. 민사랑 친구는 "아직 졸업을 한다는 것이 실감 나지 않아 조금은 얼떨떨한 기분으로 촬영을 마쳤습니다." 하고 소감을 밝혔다.

이아린 기자

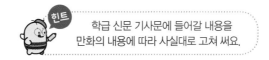

힌트　학급 신문 기사문에 들어갈 내용을
만화의 내용에 따라 사실대로 고쳐 써요.

상품 광고문 고쳐 쓰기

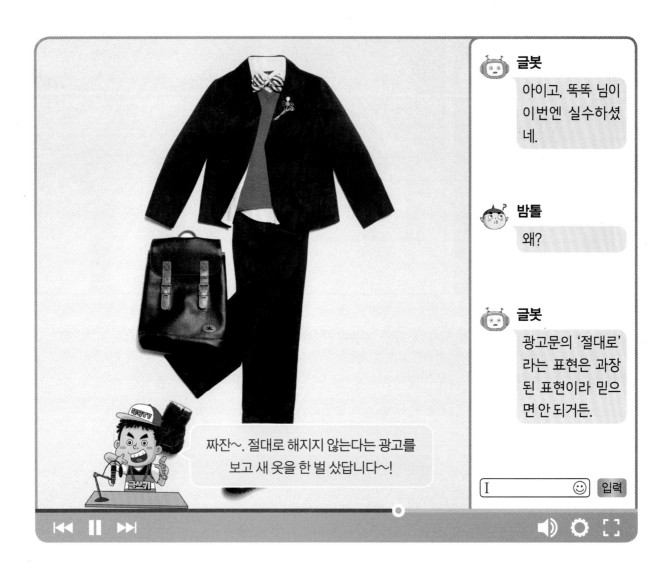

글봇
아이고, 똑똑 님이 이번엔 실수하셨네.

밤톨
왜?

글봇
광고문의 '절대로' 라는 표현은 과장된 표현이라 믿으면 안 되거든.

짜잔~. 절대로 해지지 않는다는 광고를 보고 새 옷을 한 벌 샀답니다~!

I 😊 입력

상품 광고문의 과장된 표현을 고쳐 써라!

상품 광고문은 사람들이 상품을 선택하도록 설득하는 글이에요.

상품 광고문에 과장된 부분이 있으면 광고 내용을 믿고 제품을 구입한 소비자가

피해를 볼 수 있어요. 상품 광고문을 고쳐 쓸 때에는

'무조건', '절대로', '최고', '100퍼센트' 같은 과장된 표현을 찾아 고쳐 써야 해요.

또, 감추는 내용은 없는지 찾아 자세하고 올바른 내용으로 고쳐 써야 해요.

▶ 정답 및 해설 26쪽

◉ 상품 광고문을 고쳐 쓰는 방법에 맞게 빈칸에 알맞은 말을 쓰고, 퍼즐판에서 찾아 ◯표를 하세요.

상품 ❶ ☐☐☐ 은 사람들이 상품을 선택하도록 설득하는 글이에요.

'무조건', '절대로', '최고', '100퍼센트' 같은 ❷ ☐☐☐☐ 된 표현을 찾아 고쳐 써야 해요.

단	광	고	문
감	수	야	물
추	상	구	거
는	유	과	장

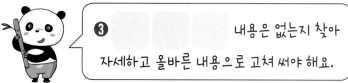

❸ ☐☐☐ 내용은 없는지 찾아 자세하고 올바른 내용으로 고쳐 써야 해요.

4일 상품 광고문 고쳐 쓰기

○ 다음 상품 광고문을 읽고, 과장된 표현이나 감추는 내용이 있는 부분을 찾아 바르게 고쳐 쓰세요.

최고로 예쁜 디자인!
떨어뜨려도 절대로 깨지지 않는 액정 화면!
가장 갖고 싶은 스마트폰 투표 1위!

천재 스마트폰

어휘 풀이

▼ **디자인** 의상, 공업 제품, 건축 등의 실용적인 목적을 가진 작품의 설계나 도안.
  ㉠ 이 옷은 디자인이 화려하다.
▼ **액정**|진 액 液, 밝을 정 晶| 주로 전자 제품의 화면에 쓰이는, 액체와 고체의 중간 상태에 있는 물질.
  ㉠ 노트북 액정 화면에 금이 갔다.
▼ **투표**|던질 투 投, 표 표 票| 선거를 하거나 찬성과 반대를 결정할 때에 투표용지에 의사를 표시하여 일
  정한 곳에 내는 일. 또는 그런 표. ㉠ 회장 투표에서 정현이가 당선됐다.

낱말 쓰기

천재 스마트폰을 살펴본 친구들의 말을 읽고, 천재 스마트폰 광고문에서 잘못된 표현을 각각 바르게 고쳐 쓰세요.

(1) 최고로 예쁜 디자인!

↓

┌ㄱ┐ ┌ㅅ┐ ┌ㅎ┐ 의 디자인!

(2) 떨어뜨려도 절대로 깨지지 않는 액정 화면!

↓

이전 출시 제품보다 ┌ㄷ┐ ┌ㄷ┐ ┌ㅎ┐ 진 액정 화면!

힌트 '무조건', '절대로', '최고', '100퍼센트' 같은 과장된 표현을 고쳐 써요.

문장 쓰기

다음 그림을 보고, 보기 에서 알맞은 말을 빈칸에 골라 넣어 천재 스마트폰 광고문을 바르게 고치고 문장을 따라 쓰세요.

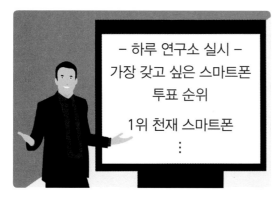

– 하루 연구소 실시 –
가장 갖고 싶은 스마트폰
투표 순위

1위 천재 스마트폰
⋮

보기

하루 연구소에서 실시한

달래 가족회의가 선정한

가장 갖고 싶은 스마트폰 투표 1위!

↓

					V						V		V
가	장	V	갖	고	V	싶	은	V	스	마	트	폰	V	
투	표	V	1	위	!									

힌트 어떤 투표에서 1위를 했는지에 대한 정보를 감추지 말고 써야 해요.

4주

1
낱말
고쳐쓰기

두 낱말의 뜻과 예를 보고, 문장의 밑줄 그은 낱말을 각각 바르게 고쳐 쓰세요.

> **갖다** 자기 것으로 하다. 예 새 책을 <u>갖게</u> 되어 기쁘다.
>
> **같다** 서로 다르지 않고 하나이다. 예 나는 할머니와 <u>같은</u> 집에 산다.

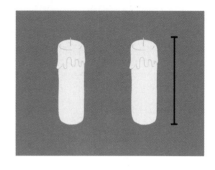

(1) 가장 <u>같고</u> 싶은 스마트폰.

같 고 → ☐ ☐

(2) 두 양초의 높이가 <u>갖다</u>.

갖 다 → ☐ ☐

2
문장
고쳐쓰기

다음 인물의 말에서 밑줄 그은 부분을 맞춤법에 맞게 고치고, 문장을 따라 쓰세요.

<u>떠러뜨려도</u> 절대로 깨지지
<u>안는</u> 액쩡 화면!

				∨	절	대	로	∨	깨	지	지	∨
	∨			∨	화	면	!					

힌트 밑줄 그은 낱말은 소리와 글자가
다른 낱말이에요. 소리 나는 대로 쓰지
말고 맞춤법에 맞게 고쳐 써 보세요.

◉ 친구들이 천재 크레파스 광고를 과장 광고라고 생각한 까닭을 읽고, 광고문에서 밑줄 그은 부분을 각각 바르게 고쳐 쓰세요.

4
주

천재 크레파스를 산다고 누구나 예쁜 그림을 그릴 수 있는 것은 아니기 때문에 과장되었어.

누구나 예쁜 그림을 그릴 수 있는 천재 크레파스!

→ ❶ _____

_____

열두 가지 색으로 모든 색을 표현할 수 있다는 것은 과장 광고야.

모든 색을 선명하게 표현할 수 있는 천재 크레파스!

→ ❷ _____

_____

5일 온라인 글 고쳐 쓰기

기찬
헐, 그런 사람들은 똑똑 님 방송 보면 안 됨. ㅇㅈ?

달래
그럼 기찬이부터 보면 안 되겠는데? 헐, ㅇㅈ이 뭐니?

글봇
그래, 기찬아. 그런 말을 안 쓰면 똑똑 님도 더 좋아하실 거야.

요즘 제 똑똑TV 채팅 창에 알아들을 수 없는 말이나 바르지 않은 말을 하는 사람들이 너무 많아요.

온라인 글을 온라인 예절에 맞게 고쳐 써라!

온라인에서 댓글을 달거나 온라인 대화를 할 때에는

상대가 보이지 않더라도 바르고 고운 말로 글을 써야 해요.

상대의 기분이 상할 수 있는 표현을 상대의 기분을 배려한 표현으로 고쳐 쓰고,

줄임 말이나 이모티콘(그림말)을 지나치게 많이 사용한 표현을

상대가 이해하기 쉬운 표현으로 고쳐 써요.

▶ 정답 및 해설 27쪽

● 사다리 타기를 하여 도착한 곳의 말을 따라 쓰며, 온라인 글을 고쳐 쓰는 방법을 알아보세요.

온라인에서 댓글을 달거나 온라인 대화를 할 때에는 ○○가 보이지 않더라도 바르고 고운 말로 글을 써야 해요.

상대의 기분이 상할 수 있는 표현을 상대의 기분을 ○○한 표현으로 고쳐 써요.

○○ ○이나 이모티콘을 지나치게 많이 사용한 표현을 상대가 이해하기 쉬운 표현으로 고쳐 써요.

줄임말

상대

배려

5일 온라인 글 고쳐 쓰기

◉ 다음 온라인 대화를 읽고, 밑줄 그은 부분을 바르게 고쳐 쓰세요.

얘들아, <u>생선</u> 정말 고마워!

내가 정말 받고 싶었던 선물이야!

내가 준 <u>문상</u>으로 보고 싶은 책 꼭 사 봐!

생선? 기찬이가 밤톨이에게 생선을 줬다고? 문상은 뭐야?

<u>ㅈㅅ</u>. 밤톨이 <u>생파</u> 얘기였어. 앞으로는 줄임 말 안 쓸게.

어휴, ㅈㅅ이랑 생파는 또 뭐야? 너희 내가 살던 동물 세계보다도 언어생활이 더 엉망인 것 같아.

🐭 **어휘 풀이**

▼ **줄임 말** 단어의 일부분이 줄어든 말. 또는 여러 단어를 한 단어로 줄여 만든 말.
　　㉠ 친구들이 알아들을 수 없는 <u>줄임 말</u>을 너무 많이 사용한다.

▼ **언어생활**|말씀 언 言, 말씀 어 語, 날 생 生, 살 활 活| 말하기, 듣기, 쓰기, 읽기의 네 가지 언어 행동 면에
　　서 본 인간의 생활. ㉠ <u>언어생활</u>은 문화를 반영한다.

▼ **엉망** 말이 아닐 정도로 수준이 뒤떨어져 한심한 상태. ㉠ 동생의 노래 실력이 <u>엉망</u>이다.

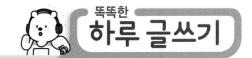
낱말 쓰기

다음 문장을 읽고 밑줄 그은 낱말을 각각 바르게 고쳐 쓰세요.

생일 선물 고마워!

(1) 얘들아, <u>생선</u> 정말 고마워!

↓

얘들아, ☐ ☐ ☐ 정말 고마워!

(2) 내가 준 <u>문상</u>으로 보고 싶은 책 꼭 사 봐!

↓

내가 준 ☐ ☐ ☐ ☐ 으로 보고 싶은 책 꼭 사 봐!

문장 쓰기

다음 문장을 읽고, 보기 에서 알맞은 말을 각각 골라 밑줄 그은 말을 바르게 고치고 문장을 따라 쓰세요.

보기

미안해   고마워   행복해

생일 파티   생신 파티

ㅈㅅ. 밤톨이 <u>생파</u> 얘기였어.

↓

☐☐☐ . 밤 톨 이 V ☐☐☐ V ☐ V

얘 기 였 어 .

힌트

'ㅈㅅ'은 '죄송'을 자음자만으로 줄여 쓴 것이고, '생파'는 '생일 파티' 또는 '생신 파티'를 각 낱말의 첫 글자만으로 줄여 쓴 말이에요. 친구에게 말할 때는 어떤 말로 고쳐 써야 할지 보기 에서 올바른 표현을 찾아봐요.

5일 똑똑한 하루 글쓰기 고쳐쓰기

1
낱말
고쳐쓰기

다음 `친구가 쓴 문장` 에서 밑줄 그은 낱말을 뜻이 비슷한 다른 낱말로 바꿔 쓰려고 해요. `보기` 에서 뜻이 비슷한 낱말을 골라 바꿔 써 보세요.

> **보기**
>
> 도서   서적   서책

> **친구가 쓴 문장**
>
>
>
> 보고 싶은 <u>책</u> 꼭 사 봐!

↓

> 보고 싶은 [ ][ ] 꼭 사 봐!

힌트 '도서', '서적', '책자'는 모두 '일정한 목적, 내용, 체재에 맞추어 사상, 감정, 지식 따위를 글이나 그림으로 표현하여 적거나 인쇄하여 묶어 놓은 것.'이라는 뜻을 가진 낱말로, 어느 것을 골라 써도 답이 될 수 있어요.

2
문장
고쳐쓰기

다음 기찬이의 말에서 밑줄 그은 부분을 바르게 고치고, 문장을 따라 쓰세요.

앞으로는 <u>줄임말앉</u>쓸게.

 힌트 '단어의 일부분이 줄어든 말. 또는 여러 단어를 한 단어로 줄여 만든 말.'을 뜻하는 낱말의 올바른 띄어쓰기는 '줄임 말'이에요.

| 앞 | 으 | 로 | 는 | ∨ | | | ∨ | | ∨ | | ∨ | 쓸 |
| 게 | . | | | | | | | | | | | |

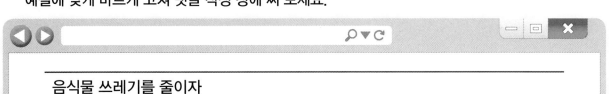

똑똑한 하루 글쓰기 마무리
내 생각 쓰기로 하루 마무리

▶ 정답 및 해설 27쪽

● 학급 누리집 게시판에 올라온 다음 글을 읽고, 밑줄 그은 부분에 주의하며 주호가 단 댓글을 온라인 예절에 맞게 바르게 고쳐 댓글 작성 창에 써 보세요.

음식물 쓰레기를 줄이자

작성자 김윤지   작성일 20○○.09.27.

댓글 1   조회 수 35

얘들아, 안녕? 나 윤지야. 너희에게 하고 싶은 말이 있어서 글을 남겨.

점심시간에 급식을 남기는 친구들이 너무 많아. 어제는 버려진 음식물 쓰레기가 잔반 통에 넘칠 듯 쌓여 있는 것을 보고 정말 깜짝 놀랐어. 다음 사진을 봐.

버려지는 음식물 쓰레기들을 보니 우리에게 음식을 정성껏 만들어 주신 분들께 죄송한 마음이 들었어. 또, 음식물 쓰레기를 많이 남기면 환경에도 좋지 않아. 우리 앞으로 음식물 쓰레기를 줄이려고 다 함께 노력하면 어떨까? 우리 반 친구들의 적극적인 참여를 바라.

장주호: <u>음쓰</u>를 줄이자는 의견 <u>ㅇㅈ</u>~. 나도 밥을 남기지 않을게.

↓

장주호:

[   ] 댓글 작성

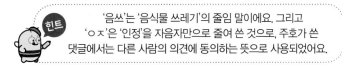

힌트

'음쓰'는 '음식물 쓰레기'의 줄임 말이에요. 그리고 'ㅇㅈ'은 '인정'을 자음자만으로 줄여 쓴 것으로, 주호가 쓴 댓글에서는 다른 사람의 의견에 동의하는 뜻으로 사용되었어요.

생활 어휘 다음 만화를 보며 속담의 뜻을 알아보고, 상황에 맞게 속담을 써 보세요.

하룻강아지 범
무서운 줄 모른다

속담의 뜻을 알아봐요!

하룻강아지 범 무서운 줄 모른다

이 속담은

"철없이 함부로 덤비는 경우를

비유적으로 이르는 말."이라는 뜻이랍니다.

이제 이 속담을 넣어 상황에 맞게 써 볼까요?

"

"더니 1학년 동생이 고등학생인 형을
이길 수 있다고 덤볐다.

◎ 쓰지 않는 전자 제품의 플러그가 잔뜩 꽂혀 있는 집이 있어요. 전기 요정이 쓰지 않는 전자 제품들의 플러그를 뽑을 수 있도록 알맞은 답을 골라 따라 쓰며 도착 지점의 집까지 길을 찾아 가세요.

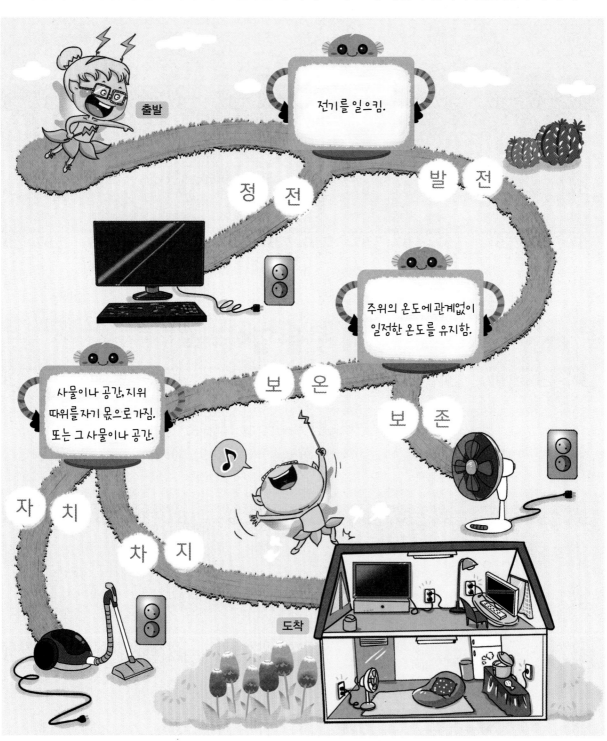

창의   4주에 나왔던 **낱말과 그 뜻**을 익히며 길을 찾아 봅니다.

▶ 정답 및 해설 28쪽

● 우리나라는 지역별로 전통 가옥 구조만큼이나 음식 문화에도 차이가 있어요. 다음 만화를 읽고, 알맞은 말에 각각 ◯표를 하세요.

우리나라 북부 지방으로 갈수록 김치가 (1) (짜지고 , 싱거워지고), 남부 지방으로 갈수록 김치가 (2) (짜져요 , 싱거워져요).

융합
국어+사회

사회 수업 내용을 살펴보며 우리나라의 **지역별 음식 문화**에 대해 알아봅니다.

● 달래와 기찬이가 교내 줄넘기 대회에 참가했어요. 다음 달래와 기찬이의 대화를 보고, 기찬이가 넘은 줄넘기의 총 횟수를 계산하여 쓰세요.

 기찬이가 넘은 줄넘기의 횟수를 식으로 나타내면 다음과 같아요.

$15 \times$ ❶ $+$ ❷ $=$ ❸

 융합
국어+수학

달래와 기찬이의 대화를 보며, **곱셈과 덧셈**을 하여 기찬이가 넘은 줄넘기의 횟수를 계산해 봅니다.

● 스마트폰 광고를 본 태진이가 스마트폰을 사러 가려고 해요. 빈칸에 알맞은 숫자를 넣어 스마트폰을 파는 가게를 방문할 수 있도록 코딩 명령을 완성하세요.

코딩 명령 풀이

태진이는 ↓ 방향으로 두 칸, ➡ 방향으로 한 칸씩 이동해요. 이것을 몇 번 반복해야 스마트폰을 파는 가게에 도착할까요?

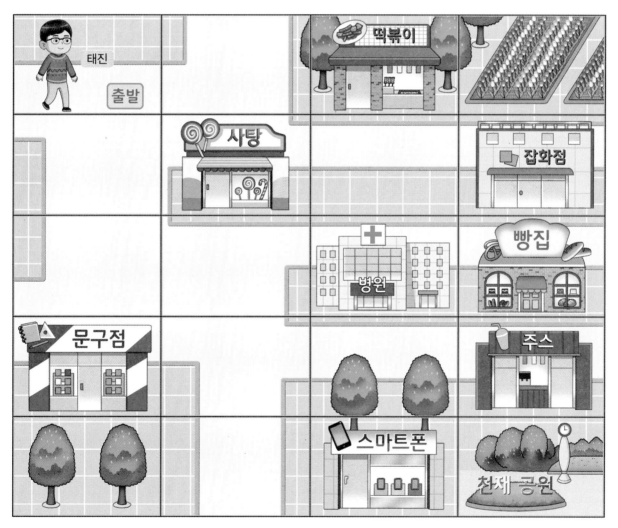

 코딩 태진이가 스마트폰을 구입하려면 어떤 코딩 명령이 필요한지 생각하며 **코딩 명령을 완성**해 봅니다.

1 다음 논설문의 근거는 어떤 주장을 뒷받침하는 것인지 알맞은 것에 ○표를 하세요.

> 첫째, 사용하지 않는 전자 제품의 플러그를 뽑으면 전기세를 절약할 수 있습니다.
> 둘째, 사용하지 않는 전자 제품의 플러그를 뽑으면 지구 환경을 보호할 수 있습니다.

(1) 양치질할 때 물을 아껴 쓰자. ( )
(2) 사용하지 않는 전자 제품의 플러그를 뽑자.
( )

글쓰기
2 다음 주장과 근거를 보고, 알맞은 말을 보기 에서 골라 근거를 고치고 따라 쓰세요.

주장
중학교에 가서도 하루 한 시간씩 걷기 운동을 합시다.

근거
뜀틀 운동은 생활 속에서 가장 쉽게 실천할 수 있는 운동입니다.

보기
> 걷기 운동   뛰기 운동

		V		은	V
생	활	V	속	에	서	V	가
장	V	쉽	게	V	실	천	할
수	V	있	는	V	운	동	입
니	다	.					

3 설명문에 사용된 다음 문장들에 나타난 문제점을 알맞게 말한 친구의 이름을 쓰세요.

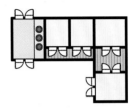
▲ 중부 지방

> 중부 지방에서는 북부 지방과 남부 지방의 중간 형태의 가옥 구조가 나타날 것 같습니다. 따라서 ─ 자 형태의 가옥을 볼 수 있습니다.

> **달래**: 객관적인 정보를 사실대로 잘 전달했어.
> **판판**: 정보를 전달할 때에 불확실한 표현을 사용한 문장이나 사실이 아닌 정보를 담은 문장을 사용했어.

( )

4 다음 중 설명문에 들어갈 지식이나 정보를 설명하는 문장으로 알맞은 것에 ○표를 하세요.

(1) 한국의 젓가락은 일본의 젓가락에 비해 납작한 편일 수도 있습니다. ( )
(2) 한국과 일본의 젓가락은 음식을 집어 먹거나 물건을 집는 데 쓰는 기구라는 공통점이 있습니다. ( )

5 학급 신문 기사문을 고쳐 쓰는 방법으로 알맞은 낱말을 골라 ○표를 하세요.

• 거짓으로 지어내거나 상상한 내용을 (사실 , 소문)대로 고쳐 쓴다.

[6~7] 다음 학급 신문 기사문을 읽고, 물음에 답하세요.

> 10월 16일 학교 운동장에서 교내 줄넘기 대회가 열렸다. 이 대회에서 6학년 3반 달래 학생이 일 등을 하여 상장과 상품을 받았다. 일 등을 한 달래 학생은 "일 등을 할 것이라고는 기대하지 못했는데 열심히 연습한 보람이 있어 기쁩니다."라고 소감을 밝혔다.

6 10월 16일에 학교 운동장에서 열린 일은 무엇인지 찾아 쓰세요.

(   )

7 실제로 있었던 일을 나타낸 다음 그림을 보고, 이 기사문에서 고쳐 써야 할 점으로 알맞은 것에 ○표를 하세요.

(1) 일 등을 한 사람의 이름을 사실대로 고쳐 써야 한다.   (   )

(2) 상상한 사실을 덧붙여 내용을 더욱 풍부하게 고쳐 써야 한다.   (   )

8 상품 광고문에 사용된 다음 문장을 보고, 문제점을 알맞게 말한 친구의 이름을 쓰세요.

가장 갖고 싶은 스마트폰 투표 1위!

> **기찬:** '100퍼센트' 같은 과장된 표현을 사용했어.
> **글봇:** 어떤 투표에서 1위를 했는지의 정보가 감춰져 있어.

(   )

글쓰기

9 다음 온라인 댓글의 밑줄 그은 줄임 말을 바르게 고쳐 빈칸에 알맞은 낱말을 쓰세요.

> 음쓰를 줄이자는 의견에 나도 동의해.

• ☐☐☐☐☐ 를 줄이자는 의견에 나도 동의해.

10 온라인 글을 바르게 고쳐 쓰는 방법이 <u>아닌</u> 것에 ×표를 하세요.

(1) 이모티콘을 많이 사용해야 한다. (   )

(2) 줄임 말을 지나치게 많이 사용하지 않는다.   (   )

(3) 상대가 보이지 않더라도 바르고 고운 말을 쓴다.   (   )

똑똑한 하루 글쓰기 ✓한권 끝!

글쓰기 공부 하느라 수고했어요.
교재를 꾸준히 잘 풀었는지 돌아보고 ○표를 하세요.

약속한 사람 _____

첫째, 하루하루 빠짐없이 꾸준히 공부했나요?　　　　　예　　아니요

둘째, 하루 글쓰기 문제를 끝까지 다 풀었나요?　　　　예　　아니요

셋째, 또박또박 바르게 글씨를 썼나요?　　　　　　　　예　　아니요

아쉽고 부족한 부분을 스스로 돌아보고,
배운 내용을 바탕으로 좋은 글을 쓰도록 노력해 봐요!

똑똑한 하루 글쓰기, 똑똑해진 우리들

앞선 생각으로
더 큰 미래를 제시하는 기업

서책형 교과서에서 디지털 교과서,
참고서를 넘어 빅데이터와 AI학습에 이르기까지
끝없는 변화와 혁신으로
대한민국 교육을 선도해 나갑니다.

milk T

닥터매쓰

geniA.

천재교육 천재교과서

똑똑한 하루 시/리/즈

✂ 쉽다!

10분이면 하루치 공부를 마칠 수 있는 커리큘럼으로,
아이들이 초등 학습에 쉽고 재미있게 접근할 수 있도록
구성하였습니다.

🧩 재미있다!

교과서는 물론 생활 속에서 쉽게 접할 수 있는
다양한 소재와 재미있는 게임 형식의 문제로
흥미로운 학습이 가능합니다.

📖 똑똑하다!

초등학생에게 꼭 필요한 학습 지식 습득은 물론
창의력 확장까지 가능한 교재로 올바른 공부습관을
가지는 데 도움을 줍니다.

과목	교재 구성	과목	교재 구성
하루 독해	예비초~6학년 각 A·B (14권)	하루 VOCA	3~6학년 각 A·B (8권)
하루 어휘	예비초~6학년 각 A·B (14권)	하루 Grammar	3~6학년 각 A·B (8권)
하루 글쓰기	예비초~6학년 각 A·B (14권)	하루 Reading	3~6학년 각 A·B (8권)
하루 한자	예비초: 예비초 A·B (2권) 1~6학년: 1A~4C (12권)	하루 Phonics	Starter A·B / 1A~3B (8권)
하루 수학	1~6학년 1·2학기 (12권)	하루 봄·여름·가을·겨울	1~2학년 각 2권 (8권)
하루 계산	예비초~6학년 각 A·B (14권)	하루 사회	3~6학년 1·2학기 (8권)
하루 도형	예비초~6학년 각 A·B (14권)	하루 과학	3~6학년 1·2학기 (8권)
하루 사고력	1~6학년 각 A·B (12권)	하루 안전	1~2학년 (2권)

※ 각 교재별 출간 시기는 조금씩 다르며, 일부 교재는 순차적으로 출시될 예정입니다.

정답 및 해설

정답 및 해설
포인트 3가지

▶ 혼자서도 이해할 수 있는 친절한 문제 풀이

▶ 문제 해결에 도움을 주는 '더 알아보기'와
   틀린 부분을 짚어 주는 '왜 틀렸을까?'

▶ 예시 답안과 단계별 채점 기준 제시로
   실전 서술형 문항 완벽 대비

똑 똑 한

하루
글쓰기

6 단계
B
5~6학년

정답 및 해설

10~11쪽

1-1 (2) ○   1-2 논 설 문
2-1 (3) ×   2-2 지한

1-1 제시된 내용은 논설문에 대한 설명입니다.

1-2 문제 상황을 해결하기 위해 사람들을 설득하는 글을 쓰려고 한다면 논설문을 써야 합니다.

2-1 논설문의 결론 부분에는 글의 내용을 요약하여 쓰고, 주장을 다시 한번 강조해서 씁니다.

2-2 밑줄 그은 부분은 결론 부분에서도 글쓴이의 주장을 다시 한번 강조해서 쓴 부분입니다.

13쪽

똑똑한 하루 글쓰기 미리 보기

❶ 논 설 문
❷ 주 장
❸ 흥 미

논	개	흥	부
설	지	미	윤
문	나	호	다
한	파	주	장

14~15쪽

똑똑한 하루 글쓰기

1 (1) 친구가 자꾸 내가 싫어하는 별명으로 불러서 울 뻔한 일이 있었다.
  (2) 요즘 상대의 기분을 생각하지 않고 싫어하는 별명으로 부르는 친구들이 많다.
2 상대가 싫어하는 별명은 부르지 말자.
3

친	구	가	∨	자	꾸	∨	내	가	∨	싫	어	하
는	∨	별	명	으	로	∨	불	러	서	∨	울	∨	뻔
한	∨	일	이	∨	있	었	다	.	∨	요	즘	∨	상	대
의	∨	기	분	을	∨	생	각	하	지	∨	않	고	∨
싫	어	하	는	∨	별	명	으	로	∨	부	르	는	∨
친	구	들	이	∨	많	다	.	∨	상	대	가	∨	싫	어
하	는	∨	별	명	은	∨	부	르	지	∨	말	자	.

1 수진이는 일기에 친구가 자꾸 자신이 싫어하는 별명으로 불러서 울 뻔한 경험을 썼고, 요즘 상대의 기분을 생각하지 않고 싫어하는 별명으로 부르는 친구들이 많다는 내용을 썼습니다.

2 1에서 답한 문제 상황에 알맞은 주장은 '상대가 싫어하는 별명은 부르지 말자.'입니다.

3 1과 2에서 쓴 내용으로 논설문의 서론을 써 봅니다.

> **채점 기준**
>
> 문제 상황과 그에 알맞은 주장을 맞춤법이나 띄어쓰기에 맞게 모두 잘 썼으면 정답입니다.

16쪽

똑똑한 하루 글쓰기 고쳐쓰기

1 예 내 얼굴은 점 차 붉어져 빨간 딸기처럼 변해 터질 것 같아졌다.
  예 내 얼굴은 차 츰 붉어져 빨간 딸기처럼 변해 터질 것 같아졌다.
2

| 수 | 지 | 가 | ∨ | 간 | 식 | 을 | ∨ | 꺼 | 내 | 자 | ∨ | 고 |
| 양 | 이 | 들 | 이 | ∨ | 가 | 까 | 이 | ∨ | 다 | 가 | 왔 | 다 | . |

1 두 낱말 모두 바꿔 써도 문장의 뜻이 변하지 않습니다.

2 '꺼냈다. 그러자'를 '꺼내자'로 합치면 두 문장을 한 문장으로 만들 수 있습니다.

17쪽

똑똑한 하루 글쓰기 마무리

❶ 어린이 신문에 실린 기사에 의하면, ❷ 특별한 기념일 때문에 곤란을 겪는 친구들이 많다고 한다. 특별한 기념일 때문에 곤란을 겪는 친구들이 있다면 기념일을 챙겨서는 안 된다. 발렌타인데이나 화이트 데이 같은 ❸ 특별한 기념일을 챙기지 말자.

◉ 밤톨이는 특별한 기념일 때문에 곤란을 겪는 친구들이 많다는 어린이 신문에 실린 기사를 읽고, '특별한 기념일을 챙기지 말자.'라고 주장하는 글을 썼습니다.

채점 기준

구분	답안 내용	
평가 기준	❶~❸의 내용을 모두 알맞게 썼습니다.	상
	❶~❸ 중 두 가지를 알맞게 썼습니다.	중
	❶~❸ 중 한 가지만 알맞게 썼습니다.	하

19쪽   똑똑한 하루 글쓰기 **미리 보기**

🤖 – 근 거, 😮 – 본 론, 🧑 – 도 표

20~21쪽   똑똑한 하루 글쓰기

1 (1) 카페인 음료로 잠을 쫓아도 잠시 후에 더한 피로 가 몰려올 수 있다.

(2) 카페인 음료를 많이 마시면 부작용을 겪을 수 있다.

2 통계청에서 발표한 통계 자료에 따르면 청 소년 78%가 카페인 음료 부작용을 느낀 적이 있다고 한다.

3 첫째, 카페인 음료로 잠을 쫓아도 잠시 후에 ❶ 예 더한 피 로가 몰려올 수 있다. 갑자기 올라간 카페인이나 당분이 감소하면서 심한 피로감을 느끼게 되는 것이다.

둘째, 카페인 음료를 많이 마시면 ❷ 예 부작용을 겪을 수 있다. 대표적인 부작용으로 불면증, 두통, 심장 두근거림 등 이 있다. 통계청에서 발표한 ❸ 예 통계 자료에 따르면 청소 년 78%가 카페인 음료 부작용을 느낀 적이 있다고 한다.

1 기찬, 달래의 말과 그림에서 카페인 음료로 잠을 쫓 아도 잠시 후에 더한 피로가 몰려올 수 있고, 부작용 을 겪을 수 있다는 것을 알 수 있습니다.

2 도표의 통계 자료를 제시하며 말하고 있으므로 '통 계 자료에 따르면'이 알맞습니다.

3 주장에 알맞은 근거를 써 봅니다.

채점 기준

'카페인 음료를 많이 마시지 말자.'라는 주장의 근거에 알맞은 내용을 모두 썼으면 정답입니다.

22쪽   똑똑한 하루 글쓰기 **고쳐쓰기**

1 (1) 쫓 고   (2) 좇 고

2

카	페	인	∨	음	료	를	∨	많	이	∨	마	시
지	∨	말	자	.								

1 (1)의 아이는 밀려드는 잠을 쫓고 싶어 하고 있고, (2) 의 아이는 자신의 꿈을 좇아 노력하고 있습니다.

2 어떤 행동을 함께 하기를 요청하는 문장은 끝맺을 때 '–자', '–ㅂ시다' 등을 써서 끝맺습니다.

> **더 알아보기**
> 논설문의 주장은 시키는 문장으로 쓰지 않고, 보통 '– 자', '–ㅂ시다' 등으로 끝맺습니다.

23쪽   똑똑한 하루 글쓰기 **마무리**

편식을 하지 말아야 하는 까닭은 다음과 같다.

첫째, ❶ <u>편식을 하면 우리 몸이 제대로 성장하지 못한다.</u> 성장에 필요한 주요 영양소를 골고루 섭취하지 못하기 때문 이다. 편식을 하는 경우에는 키 성장이 더디고, 비만과 저체 중 등이 더 많이 발생한다는 통계 자료도 있다.

둘째, 면역력이 떨어져 질병에 쉽게 걸리게 된다. ❷ <u>편식 을 하면 우리 몸의 면역력 형성에 꼭 필요한 영양소들을 골고 루 섭취할 수 없기 때문이다.</u> 예를 들어, 비타민 C는 면역 세 포를 비롯한 각 세포를 보호하는 역할을 하고, 아연은 몸 안 의 효소와 면역 관련 세포의 활동을 돕는다. 그런데 자신이 좋아하는 음식만 먹고 편식을 하면 이러한 영양소가 부족해 져 질병에 걸리기 쉬운 상태가 된다.

○ 주장에 알맞은 근거와 근거를 뒷받침하는 내용을 골 라 본론 부분을 씁니다.

채점 기준

구분	답안 내용	
평가 기준	주장에 대한 근거와 근거를 뒷받침하는 내 용을 모두 알맞게 썼으면 정답으로 합니다.	상
	주장에 대한 근거와 근거를 뒷받침하는 내 용을 썼지만 맞춤법이 틀린 부분이 있습니다.	중
	❶과 ❷ 중에서 한 가지만 알맞게 썼습니다.	하

3일

25쪽 똑똑한 하루 글쓰기 **미리 보기**

주장

26~27쪽 똑똑한 하루 글쓰기

1 (1) 학용품에 이 름을 적어 놓자.

(2) 그러면 학 용 품을 잃어버리는 일이 줄어들어 오래 사용할 수 있다.

2 (1) 학용품을 마 지 막 까 지 사 용하도록 노력하자.

(2) 예를 들어, 몽당연필에 볼 펜 대 를 끼 워 쓰 거 나 남은 공책을 잘라 메모지로 사용할 수 있다.

3 첫째, 학용품에 이름을 적어 놓자. 그러면 ❶ 예 학용품을 잃어버리는 일이 줄어들어 오래 사용할 수 있다.

둘째, 학용품을 ❷ 예 마지막까지 사용하도록 노력하자. 예를 들어, 몽당연필에 ❸ 예 볼펜 대를 끼워 쓰거나 남은 공책을 잘라 메모지로 사용할 수 있다.

1 학용품에 이름을 적어 놓으면 잃어버리는 일이 줄어들어 학용품을 오래 사용할 수 있습니다.

2 몽당연필에 볼펜 대를 끼워 쓰거나 남은 공책을 잘라 메모지로 사용하면 학용품을 마지막까지 아껴 쓸수 있습니다.

3 1과 2에서 쓴 문장을 넣어 학용품을 아껴 쓰는 실천 방법을 써 봅니다.

> **채점 기준**
>
> 학용품을 아껴 쓰는 실천 방법에 알맞은 내용을 썼으면 정답입니다.

28쪽 똑똑한 하루 글쓰기 **고쳐쓰기**

1 (1) 성 명 (2) 성 함

2

몽	당	연	필	에	V	볼	펜	V	대	를	V	끼
워	V	쓰	거	나	V	남	은	V	공	책	을	V	잘
라	V	메	모	지	로	V	사	용	할	V	수	V	있
다	.											

1 (1)과 같이 자신의 이름을 적는 상황에서는 '이름'과 비슷한 말인 '성명'을 쓰고, (2)와 같이 웃어른의 '이름'을 높여 말할 때에는 '성함'을 씁니다.

2 학용품을 아껴 쓰는 방법을 나열하고 있으므로 '-거나'를 쓰는 것이 알맞습니다.

29쪽 똑똑한 하루 글쓰기 **마무리**

텔레비전 시청 시간을 줄이기 위해 다음과 같은 방법들이 도움이 될 수 있다.

첫째, ❶ 예 미리 편성표를 확인해서 보고 싶은 프로그램을 정해 놓고 본다. 보고 싶은 프로그램을 미리 정해 두면 의미 없는 프로그램에 빠져 텔레비전 시청 시간이 늘어나는 것을 막을 수 있다.

둘째, ❷ 예 텔레비전 대신 매일 책 읽는 시간을 가진다. 책을 읽기 시작하면 그 시간만큼 자연스레 텔레비전 시청 시간이 줄어들 것이다. 텔레비전 시청 시간을 줄이면서 책을 통해 지식과 지혜도 얻을 수 있다.

◉ '텔레비전 시청 시간을 줄이자.'라는 주장을 실천할 수 있는 방법을 써 봅니다.

채점 기준

구분	답안 내용	
평가 기준	텔레비전 시청 시간을 줄일 수 있는 실천 방법을 두 가지 모두 알맞게 썼습니다.	상
	텔레비전 시청 시간을 줄일 수 있는 실천 방법을 썼지만, 표현이 어색하거나 맞춤법이 틀린 부분이 있습니다.	중
	텔레비전 시청 시간을 줄일 수 있는 실천 방법을 한 가지만 알맞게 썼습니다.	하

4일

🤖 - 요약, 😀 - 강조, 😆 - 전망

1 교통질서를 지키지 않아 많은 사 고 가 일어난다.

2 우리의 안전을 위해 교 통 질 서 를 잘 지 키 려 는 노 력 이 필요하다.

3

교	통	질	서	를	∨	지	키	지	∨	않	아	∨
많	은	∨	사	고	가	∨	일	어	난	다	.	우	리
의	∨	안	전	을	∨	위	해	∨	교	통	질	서	를	∨
잘	∨	지	키	려	는	∨	노	력	이	∨	필	요	하
다	.											

1 이 글은 교통질서를 잘 지키지 않아 많은 사고가 일어나므로 교통질서를 잘 지키자고 주장하는 논설문입니다.

2 '안전을 위해 교통질서를 잘 지키자.'가 이 글의 주장하는 말입니다. 알맞은 말을 골라 주장을 강조하는 말을 씁니다.

3 글의 내용을 요약하고, 주장을 다시 한번 강조하여 결론을 씁니다.

채점 기준

글의 내용을 요약하고, 주장을 다시 한번 강조하는 내용을 알맞게 썼으면 정답입니다.

(**더 알아보기**)

논설문의 결론에는 주장을 실천하였을 때 나타날 앞으로의 전망을 쓰는 것도 좋습니다.

예 교통질서를 잘 지킨다면 교통 사고가 줄어들어 학생들이 크게 다치는 일이 없어질 것이다.

1 한국 교통 안전 공단의 조사에 의 하 면 사고의 대부분은 운전자와 보행자가 교통질서를 지키지 않아 일어났다.

2

교	통	질	서	를	∨	지	키	지	∨	않	는	∨
친	구	들	이	∨	의	외	로	∨	많	다	.	그	런
데	∨	안	전	보	다	∨	중	요	한	∨	것	은	∨
없	다	.										

1 '어떤 경우, 사실이나 기준 따위에 근거하면.'이라는 뜻의 '따르면'과 '무엇에 근거하거나 기초하면. 또는 무엇으로 말미암으면.'이라는 뜻의 '의하면'은 서로 바꾸어 써도 뜻이 통하는 낱말입니다.

2 주어진 문장을 두 문장으로 나눌 때에는 '많은데'를 '많다. 그런데'로 나누어 쓰면 됩니다.

(**더 알아보기**)

'그런데'는 앞의 내용과 반대되는 내용을 이끌 때 쓰는 이어 주는 말입니다.

예

책	은		우	리	에	게		세	상	을	
살	아	가	고		문	제	를		해	결	하
는		데		중	요	한		지	식	과	
지	혜	를		전	해		준	다	.		

예

책	은		우	리	를		더		나	은	
모	습	으	로		변	화	시	키	고	,	꿈
을		이	루	는		데		도	움	을	
준	다	.									

● 결론 부분에 들어갈 내용으로 알맞은 것을 골라 씁니다.

채점 기준

구분	답안 내용	
평가 기준	결론에 알맞은 문장을 골라 잘 썼습니다.	상
	결론에 알맞은 문장을 골라 썼지만, 맞춤법이 틀린 부분이 있습니다.	중
	이 글의 내용과 상관없는 내용을 썼습니다.	하

5일

❶ 서 론
❷ 근 거
❸ 요 약

지	구	⃝근	⃝거
남	⃝서	대	문
아	⃝론	결	⃝요
식	바	수	⃝약

1 온라인 게시판 글에 악성 댓글을 쓰는 사람들이 많다. 악성 ☐댓☐글☐을 쓰지 말자.

2 ❶ 첫째, 악성 댓글 때문에 괴로워하는 사람들이 많다. 통계에 따르면 우리 학교 학생 4명 중 1명은 악성 댓글에 ☐피☐해☐를☐입☐은☐일☐이 있으며, 피해 학생들 대부분이 악성 댓글을 보았을 때 기분이 나빴다고 답하였다.

　❷ 둘째, 악성 댓글을 쓰면 ☐법☐으☐로☐처☐벌☐받☐을☐ 수 있다. 악성 댓글을 달아 명예 훼손죄로 처벌을 받는 사람의 숫자가 매년 늘고 있다고 한다.

3 예 <u>악성 댓글은 읽는 사람이나 쓰는 사람 모두에게 심각한 피해를 남긴다.</u> 그러므로 악성 댓글을 쓰지 말고 바른 댓글을 쓰자.

1 악성 댓글을 쓰는 사람들이 많다는 문제 상황에 알맞은 주장은 '악성 댓글을 쓰지 말자.'입니다.

2 악성 댓글을 쓰지 말자는 까닭으로 알맞은 내용을 골라 주장에 대한 근거를 써 봅니다.

3 이 글의 내용을 알맞게 요약한 것은 악성 댓글이 심각한 피해를 남긴다는 내용의 문장입니다.

채점 기준

　결론에서 글의 내용을 요약한 부분을 맞춤법에 맞게 잘 썼으면 정답입니다.

1 예 얼굴을 마주한 상대에게도 할 수 있는 말인지 생각해 보고 ☐댓☐글☐을 단다. / 예 얼굴을 마주한 상대에게도 할

수 있는 말인지 생각해 보고 ☐답☐글☐을 단다.

2 | 악 | 성 | ∨ | 댓 | 글 | 을 | ∨ | 쓰 | 지 | ∨ | 말 | 고 | ∨ |
| 바 | 른 | ∨ | 댓 | 글 | 을 | ∨ | 쓰 | 자 | . | | | |

1 두 낱말 모두 '리플'과 바꿔 쓸 수 있는 우리말입니다.

2 두 문장을 하나의 문장으로 합칠 때에 '~ 말자. 그리고'를 '~ 말고'로 합쳐 쓸 수 있습니다.

예   **유행을 따라 값비싼 옷을 사지 말자**

　최근 학생들 사이에서 값비싼 옷이 유행하면서 사회 문제가 되고 있다는 뉴스를 보았다. 확실히 값비싼 브랜드의 옷이 유행하는 것은 문제가 있다. 유행에 따라 값비싼 옷을 사지 말자.

　유행을 좇다 보면 자신만의 개성을 잃기 쉽다. 값비싼 옷을 사더라도 그 사람은 남을 흉내 내는 흉내쟁이가 되어 버린다. 그리고 유행하는 값비싼 옷은 부모님께 부담이 되기도 한다. 비싼 브랜드의 유행하는 옷을 사지 않는다면 그 돈을 책이나 여행 등 더 값진 곳에 쓸 수도 있다. 겉모습에만 신경 쓰며 값비싼 옷을 사 입는 것보다 값진 경험을 쌓아 가는 것이 더 멋진 자신을 만드는 행동이다.

　유행을 좇아 값비싼 옷을 사는 것이 우리를 더 개성있고 멋있게 만들어 주지는 않는다. 유행을 따라 값비싼 옷을 사지 말자.

예   **버려지는 음식**

　옛날에 비해 우리의 삶이 풍요로워지면서 버려지는 음식물 쓰레기의 양이 점점 늘어나고 있고, 이것이 새로운 사회 문제가 되고 있다. 음식을 남기지 말자.

　음식물 쓰레기 때문에 발생하는 문제들은 매우 다양하다.

　첫째, 음식물 쓰레기는 환경을 오염시킨다. 썩으면서 악취와 가스를 내뿜는 음식물 쓰레기는 처리도 어렵고, 토양과 지하수를 오염시킨다.

　둘째, 음식물 쓰레기를 처리하는 데에는 많은 돈이 든다. 우리나라는 연간 20조원이 음식물 쓰레기 처리 비용으로 사용되고 있다. 음식물과 함께 돈까지 버려지고 있는 것이다.

　음식을 남기지 않기 위해서 다음과 같은 방법을 실천해 보자. 먼저, 음식을 만들 때 너무 많은 양을 한꺼번에 만들지 않아야 하고, 밥과 반찬은 적당량만 덜어 먹어야 한다. 평소에 먹는 양을 생각해 욕심을 부리지 않는 것이 좋다.

음식을 남기지 않도록 노력하면 환경은 더 깨끗해지고, 쓸데없는 낭비는 줄일 수 있다. 더 나은 삶을 위해 음식을 남기지 말자.

○ 자신이 쓰고 싶은 주제를 골라 '서론-본론-결론' 구성으로 논설문을 써 봅니다.

채점 기준

구분	답안 내용	
평가 기준	주장에 알맞은 근거를 들어 '서론-본론-결론'의 구성에 맞춰 글을 잘 썼습니다.	상
	주장에 알맞은 근거를 들어 글을 썼지만, '서론-본론-결론' 중 빠진 부분이 있습니다.	중
	주장에 맞지 않는 근거를 들어 글을 썼습니다.	하

특강 똑똑한 **하루** 창의·융합·코딩

43쪽

"바늘 도둑이 소 도둑 된다"라는 속담처럼 작은 잘못을 저지르던 도둑은 점차 큰 범죄를 저지르게 되었다.

44쪽

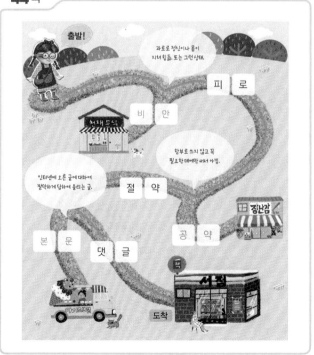

45쪽

 싫어하는 별명을 부르면 친구와 사 이 가 멀 어 질 수 있다. 그리고 싫어하는 별명은 친구에게 상 처 를 준다.

○ 남자아이가 코딩 명령을 따라가면 다음 그림처럼 이동하며 알맞은 근거를 알려 주는 친구들을 만나게 됩니다.

〔 왜 틀렸을까? 〕

'기분을 좋게 하는 별명도 많다.'와 '별명은 친구 사이를 가깝게 한다.'는 내용은 '친구를 별명으로 부르자.'라는 주장의 근거로 알맞은 내용입니다.

'과로로 정신이나 몸이 지쳐 힘듦. 또는 그런 상태.'라는 뜻의 낱말은 '피로', '함부로 쓰지 않고 꼭 필요한 데에만 써서 아낌.'이라는 뜻의 낱말은 '절약', '인터넷에 오른 글에 대하여 짤막하게 답하여 올리는 글.'이라는 뜻의 낱말은 '댓글'입니다.

46쪽

우유

○ 마시는 음료라고 하였으므로 초콜릿은 아닙니다. 쓴맛이 나는 음식이 아니라고 하였으므로 커피도 아닙니다. 음식의 색이 초록색이 아닌 흰색이라고 하였으므로 녹차도 아닙니다. 마시는 음료이고, 고소한맛이 나고, 흰색이고, 단백질과 칼슘 등의 영양소가 풍부하며, 젖소에게서 얻는 음식은 우유입니다.

47쪽

🐰 조사한 학생의 수는 200 명이고, 그중에서 절반인 50 %의 학생들이 악성 댓글 피해 경험이 있다고 하였으므로, 악성 댓글 피해 경험이 있는 학생의 수는 100 명입니다.

◉ 댓글 피해 경험이 있는 학생의 수를 구하는 식은 다음과 같습니다.

$$200 \times \frac{50}{100} = 100$$

평가 ━━━━━━ **누구나 100점** 테스트

48~49쪽

1 논설문   **2** 효선

3

상	대	가	V	싫	어	하
는	V	별	명	은	V	부	르
지	V	말	자	.		

4 카페인 음료를 많이 마시지 말자.

5 (2) ◯   **6** 수진

7 절약   **8** (3) ◯

9 ⓒ

10 악성 댓글은 읽는 사람이나 쓰는 사람 모두에게 심각한 피해를 남긴다. 그러므로 악성 댓글을 쓰지 말고 바른 댓글을 쓰자.

1 어떤 문제에 대해 자신의 주장을 논리적으로 내세워 읽는 사람을 설득하기 위해 쓴 글은 논설문입니다.

┌─ **⟨ 왜 틀렸을까? ⟩** ─
│ 설명문은 어떤 지식이나 정보를 읽는 이에게 전달하고
│ 이해시키기 위해 쓴 객관적인 글입니다.

2 글쓴이는 요즘 상대의 기분을 생각하지 않고 싫어하는 별명으로 부르는 친구들이 많아졌다고 하였습니다.

3 2의 문제 상황에 알맞은 주장은 '상대가 싫어하는 별명은 부르지 말자.'입니다.

4 글에 제시된 근거는 카페인 음료로 잠을 쫓아도 잠시 후에 더한 피로가 몰려올 수 있다는 것과 카페인 음료를 많이 마시면 부작용을 겪을 수 있다는 것입니다. 모두 카페인 음료를 많이 마셨을 때의 안 좋은 점에 대해 이야기하고 있습니다.

5 4에서 답한 '카페인 음료를 많이 마시지 말자.'라는 주장에 알맞은 근거는 (2)입니다.

┌─ **⟨ 왜 틀렸을까? ⟩** ─
│ (1)의 내용은 카페인 음료의 좋은 점에 대해 말하고 있
│ 으므로, '카페인 음료를 많이 마시지 말자.'라는 주장의 근
│ 거로 어울리지 않습니다.

6 수진이가 말한 실천 방법이 '학용품을 아껴 쓰자.'라는 주장에 알맞습니다. 정호가 말한 '학용품은 항상 새것을 사용하자.'라는 실천 방법은 학용품을 아껴 쓸 수 있는 방법이 아닙니다.

7 '낭비'의 뜻은 '시간이나 재물 따위를 헛되이 헤프게 씀.'입니다.

8 논설문에서 글의 내용을 요약하여 쓰고, 주장을 다시 한번 강조해서 쓰는 부분은 '결론' 부분입니다.

9 '형벌에 처함. 또는 그 벌.'은 '처벌'의 뜻입니다.

10 글의 내용을 통해 읽는 사람이나 쓰는 사람 모두에게 심각한 피해를 주는 것이 '악성 댓글'이라는 것을 알 수 있습니다.

한 주 동안
수고했어요~!

52~53쪽   **2주에는 무엇을 공부할까? ❷**

1-1 (4) ×   1-2 20○○년 6월 12일 토요일 날씨: 맑음
2-1 밤톨   2-2 시 형 식

1-1 일기 형식으로 독서 감상문을 쓸 때에는 먼저 날짜와 요일, 날씨를 쓰고 제목, 책을 읽게 된 까닭, 책 내용, 책에 대한 생각이나 느낌 등을 씁니다.

1-2 『혹부리 영감』을 읽고 일기 형식으로 쓴 독서 감상문이므로 빈칸에는 날짜와 요일, 날씨가 들어가야 합니다.

2-1 시 형식으로 독서 감상문을 쓸 때에는 인상 깊었던 장면이나 인물의 마음이 잘 드러나도록 짧고 운율이 있는 말로 씁니다.

2-2 『혹부리 영감』을 읽고 책과 관련한 내용을 운율이 있는 짧은 말로 표현하였으므로 시 형식의 독서 감상문이라고 할 수 있습니다.

55쪽   똑똑한 **하루 글쓰기** 미리 보기

😄 – 내용, 🐼 – 날짜, 😊 – 생각

56~57쪽   똑똑한 **하루 글쓰기**

1 양치기 소년이 늑대가 나타났다고 거짓말 을 했다가 진짜 늑대가 나타났을 때 아무도 믿지 않았다는 내용의 이야기이다.

2 나는 거짓말로 친구의 믿음을 깨는 행동은 하지 말아야겠다고 생각했다.

3 달래에게 거짓말을 하며 장난을 쳤는데 달래가 나한테 양치기 소년 같다고 했다. 달래의 말을 듣고 예전에 읽었던 『양치기 소년』이 생각나서 다시 읽어 보았다. / 이 책은 양치기 소년이 ❶ <u>예 늑대가 나타났다고 거짓말을 했다가 진짜 늑대가 나타났을 때 아무도 믿지 않았다는 내용의 이야기이다.</u> / 나는 ❷ <u>예 거짓말로 친구의 믿음을 깨는 행동은 하지 말아야겠다고 생각했다.</u>

1 양치기 소년이 계속 거짓말을 했기 때문에 사람들은 양치기 소년의 말을 더 이상 믿지 않았습니다.

2 **1**에서 답한 내용을 바탕으로 기찬이가 어떤 생각을 하였을지 알맞게 정리하여 봅니다.

3 **1**과 **2**에서 답한 내용을 넣어 일기 형식의 독서 감상문을 완성해 봅니다.

> **채점 기준**
>
> 『양치기 소년』의 내용과 기찬이가 하였을 생각을 모두 알맞게 썼으면 정답으로 합니다.

58쪽   똑똑한 **하루 글쓰기** 고쳐쓰기

1 별 다 르 게

2 배 가 ∨ 아 프 대 서 ∨ 며 칠 ∨ 가 방 을 ∨ 들 어 ∨ 줬 는 데 ∨ 알 고 ∨ 보 니 ∨ 새 빨 간 ∨ 거 짓 말 이 었 던 ∨ 거 야 !

1 '특별하게'는 '보통과 구별되게 다르게.'라는 뜻이므로 '별다르게'와 바꾸어 쓸 수 있습니다.

2 '–다고 해서'는 '–대서'로 줄여 쓸 수 있으므로 '아프다고 해서'는 '아프대서'로 바꾸어 쓸 수 있습니다.

59쪽   똑똑한 **하루 글쓰기** 마무리

❶ 예 한 농사꾼에게 무엇이든 넣으면 똑같은 것이 나오는 신기한 독이 생겼다.
❷ 예 욕심을 부리다가 벌을 받은 원님을 보니 통쾌하다는 생각이 들었다.

○ ❶에 책 내용, ❷에 책에 대한 생각이나 느낌을 씁니다.

구분	답안 내용	
	책 내용과 책에 대한 생각이나 느낌을 모두 알맞게 썼습니다.	상
평가 기준	책 내용과 책에 대한 생각이나 느낌을 모두 알맞게 썼지만 띄어쓰기나 맞춤법에서 틀린 부분이 있습니다.	중
	한 가지 내용만 간단하게 썼습니다.	하

채점 기준

2일

61쪽 똑똑한 하루 글쓰기 미리 보기

❶ 인물
❷ 끝인사
❸ 말하듯이

62~63쪽 똑똑한 하루 글쓰기

1 (1) 델라는 머리카락을 잘라 짐에게 줄 시곗줄을 샀다.
　(2) 짐은 시계를 팔아 델라에게 줄 머리핀을 샀다.
2 진정한 사랑의 의미를 일깨워 주고, 내 마음을 따뜻하게 해 줘서 고마워요.
3 델라와 짐에게 / 안녕하세요? 저는 둘의 모습이 담긴 표지 그림을 보고 이 책을 읽게 되었어요. / 델라는 ❶ 예 머리카락을 잘라 짐에게 줄 시곗줄을 샀고, 짐은 ❷ 예 시계를 팔아 델라에게 줄 머리핀을 샀죠. 서로를 깊이 생각하는 둘의 모습을 보고 저는 큰 감동을 받았어요. 진정한 ❸ 예 사랑의 의미를 일깨워 주고, 내 마음을 따뜻하게 해 줘서 고마워요. / 그럼 안녕히 계세요. / 20○○년 ○○월 ○○일 / ○○○ 씀

1 (1) 델라는 짐에게 줄 시곗줄을 사기 위해 머리카락을 잘라 돈을 마련하였습니다.
　(2) 짐은 시계를 팔아 델라의 머리핀을 샀습니다.

2 델라와 짐은 서로의 크리스마스 선물을 마련하기 위해 자신에게 가장 소중한 것을 팔았습니다. 이를 통해 진정한 사랑의 의미를 깨달을 수 있습니다.

3 1과 2에서 완성한 문장을 넣어 독서 감상문을 편지 형식으로 바꾸어 봅니다.

채점 기준

『크리스마스 선물』의 내용과 델라와 짐에게 전하고 싶은 말을 모두 알맞게 썼으면 정답으로 합니다.

64쪽 똑똑한 하루 글쓰기 고쳐쓰기

1 (1) 시 곗 바 늘　(2) 시 곗 줄
2　나 는 ∨ 델 라 와 ∨ 짐 이 ∨ 받 은 ∨ 선 물 이 ∨ 당 장 ∨ 쓸 ∨ 수 도 ∨ 없 고 ∨ 어 마 어 마 하 게 ∨ 좋 은 ∨ 선 물 도 ∨ 아 니 지 만 ∨ 세 상 에 서 ∨ 가 장 ∨ 값 진 ∨ 것 이 라 는 ∨ 생 각 이 ∨ 들 었 다 .

1 '시계'와 '바늘'을 합해 쓸 때에는 'ㅅ' 받침을 넣어 '시곗바늘'이라고 씁니다. 이처럼 '시계'와 '줄'을 합해 쓸 때에도 사이에 'ㅅ' 받침을 넣어 '시곗줄'이라고 써야 합니다.

(더 알아보기)
낱말 사이에 'ㅅ' 받침이 들어가는 경우
· 순우리말끼리 합한 낱말로서 앞말이 모음으로 끝난 경우
　예 나루 + 배 → 나룻배
· 순우리말과 한자어가 합한 낱말로서 앞말이 모음으로 끝난 경우
　예 귀 + 병(病) → 귓병

2 '어마어마하게'는 '매우 놀랍게 엄청나고 굉장하게.'라는 뜻의 한 낱말입니다. '갑진'은 '물건 따위가 값이 많이 나갈 만한 가치가 있는.'이라는 뜻의 '값진'을 잘못 쓴 것입니다.

65쪽 똑똑한 하루 글쓰기 마무리

❶ 예 이승에 가려면 저승 곳간에서 수고비를 내놓아야
❷ 예 저승 곳간에서 쌀 삼백 석을 꾸어
❸ 예 그럼 안녕히 계세요.

● 만화에서 밑줄 그은 말을 참고하여 ❶과 ❷에 책 내용을 쓰고, ❸에 끝인사를 써 봅니다.

채점 기준

구분	답안 내용	
평가 기준	책 내용과 끝인사를 모두 알맞게 썼습니다.	상
	책 내용과 끝인사를 모두 알맞게 썼지만 맞춤법이나 띄어쓰기가 틀린 부분이 있습니다.	중
	책 내용만 간단하게 썼습니다.	하

3일

67쪽

육하원칙

68~69쪽

1 (1) 홍길동과 도적들이 어제 탐관오리의 집에 쳐들어가 재물을 훔치는 일이 있었다.

(2) 훔친 재물을 가난한 백성들에게 나누어 주기 위해서였다.

2 탐관오리의 재물만을 훔치는 홍길동에게 '의로운 도적'이라 부르는 백성들의 목소리가 날로 커지고 있다.

3 　　　　의로운 도적, 홍길동

　홍길동과 도적들이 ❶ 예 어제 탐관오리의 집에 쳐들어가 재물을 훔치는 일이 있었다. 훔친 재물을 ❷ 예 가난한 백성들에게 나누어 주기 위해서였다. 탐관오리의 재물만을 훔치는 홍길동에게 ❸ 예 '의로운 도적'이라 부르는 백성들의 목소리가 날로 커지고 있다. 실제로 홍길동은 가난한 백성들을 도와주는 일을 하는 '활빈당'을 만들었다고 한다. 그러나 관아에서는 홍길동을 잡는 사람에게 벼슬과 상금을 내린다며 홍길동의 체포에 관심을 가져 줄 것을 호소하고 있다.

1 (1)에는 '누가, 언제, 어디에서, 무엇을, 어떻게'에 대한 내용, (2)에는 '왜'에 대한 내용이 드러나도록 씁니다.

【 더 알아보기 】
『홍길동전』에 나타난 당시 시대 상황

• 부모의 신분에 따라 자식의 신분이 정해져서 자신의 꿈을 마음껏 펼칠 수가 없었습니다.

• 자신들의 지위를 이용해서 온갖 나쁜 짓으로 재산을 모으는 데 급급한 탐관오리들이 많았습니다.

2 백성들은 홍길동을 긍정적으로 생각하므로 빈칸에는 '목소리가 날로 커지고'가 들어가야 합니다.

3 **1**과 **2**에서 답한 내용을 넣어 기사문 형식의 독서 감상문을 완성해 봅니다.

채점 기준

일어난 일을 육하원칙에 따라 정리하였고, 홍길동에 대한 백성들의 관점도 알맞게 썼으면 정답으로 합니다.

70쪽

1 (1) 재물 (2) 제물

2 | 전국 ∨ 방방곡곡에 ∨ 홍길동을 ∨ 잡는 ∨ 사람에게 ∨ 벼슬과 ∨ 상금을 ∨ 내린다는 ∨ 방이 ∨ 붙었다. |

1 (1)은 '돈이나 그 밖의 값나가는 모든 물건.'을 뜻하는 '재물'로 고쳐 쓰고, (2)는 '제사에 쓰는 음식물.'을 뜻하는 '제물'로 고쳐 써야 합니다.

2 '방방곡곡'은 '한 군데도 빠짐이 없는 모든 곳.'을 뜻하는 한 낱말입니다. '방방곡곡'을 '방방 곡곡'으로 띄어 쓰거나 '방방곳곳'으로 쓰지 않도록 주의합니다.

71쪽

예 도깨비들이 오늘 새벽에 산에서 착한 혹부리 영감에게서 떼어 갔던 혹을 욕심쟁이 혹부리 영감에게 달아 주었다.

◉ '누가, 언제, 어디에서, 무엇을, 어떻게'에 대한 내용이 모두 드러나는 문장으로 만들어 씁니다.

채점 기준

구분	답안 내용	
평가 기준	'누가, 언제, 어디에서, 무엇을, 어떻게'에 대한 내용이 모두 잘 드러나는 문장으로 썼습니다.	상
	'누가, 언제, 어디에서, 무엇을, 어떻게'에 대한 내용이 모두 드러나는 문장으로 썼지만, 자연스럽지 않은 부분이 있습니다.	중
	문장에 '누가, 언제, 어디에서, 무엇을, 어떻게' 중에서 빠진 내용이 있습니다.	하

4일

73쪽 · 똑똑한 **하루 글쓰기** 미리 보기

 – 소 개 , – 흥 미 , – 배 경

74~75쪽 · 똑똑한 **하루 글쓰기**

> 1 『안네의 일기 』– 유대인을 억 압 하던 당시 시대 상
> 황과 숨어 지내야만 했던 안네 가족의 모습이 잘 나타나
> 있어요.
>
> 2 이 책을 읽는다면 힘든 상황에서도 희 망 과 행 복
> 을 찾 는 안네의 모습에 큰 감동을 받을 수 있을 거예요.
>
> 3 ❶ 『안네의 일기』는 안네가 쓴 일기를 모아 엮은 책으로,
> ❷ 예 유대인을 억압하던 당시 시대 상황과 숨어 지내야
> 만 했던 안네 가족의 모습이 잘 나타나 있어요. 우리 또래
> 였던 안네는 전쟁의 두려움에 떨며 어떻게 하면 독일군에
> 게 들키지 않을까를 늘 걱정하며 살았지만 결코 웃음을
> 잃지 않았어요. / 여러분들도 이 책을 읽는다면 ❸ 예 힘
> 든 상황에서도 희망과 행복을 찾는 안네의 모습에 큰 감
> 동을 받을 수 있을 거예요.

1 『안네의 일기』에는 유대인을 억압하던 당시 시대
상황이 잘 나타나 있습니다.

2 안네는 힘든 상황에서도 웃음을 잃지 않았다고 하였
으므로 '희망과 행복을 찾는'이 들어가야 합니다.

3 **1**과 **2**에서 답한 내용을 넣어 소개하는 글 형식의 독
서 감상문을 완성해 봅니다.

> **채점 기준**
>
> 책 제목, 책 내용, 친구들에게 해 주고 싶은 말을 모두
> 알맞게 썼으면 정답으로 합니다.

76쪽 · 똑똑한 **하루 글쓰기** 고쳐쓰기

> 1 (1) 밤 새 (2) 띄 지
>
> 2 | 독 서 | ∨ | 감 상 문 을 | ∨ | 써 서 | ∨ | 친 구
> | 들 에 게 | ∨ | 보 여 | ∨ | 주 려 고 | ∨ | 한 다 .

1 '밤이 지나는 동안.'이라는 뜻의 '밤사이'는 '밤새'로
줄여서 쓰고, '눈에 보이지.'라는 뜻의 '뜨이지'는 '띄
지'로 줄여 씁니다.

2 어떤 행동을 할 의도나 욕망을 가지고 있음을 나타
내기 위해 '–려고'를 붙여 쓸 때에는 불필요하게
'ㄹ'을 넣어 쓰지 않도록 주의해야 합니다. 따라서
'일어나려고', '보여 주려고'가 바른 표현입니다.

77쪽 · 똑똑한 **하루 글쓰기** 마무리

예	책 제목	『문화 기행』
	책 내용	나라마다 가진 고유한 문화를 알려 주는 내용이다.
	책에서 흥미롭게 느꼈던 부분	인도와 스페인에서 소를 대하는 문화가 아주 다르다는 점이 재미있었다. 인도에서는 자신들이 믿는 최고의 신이 소를 타고 다녔다고 하여 소를 숭배한다. 하지만 스페인에서는 소를 바치면 농사가 잘된다고 믿었기 때문에 투우를 즐긴다.
	친구들에게 해 주고 싶은 말	이 책을 읽으면 우리와 다른 문화를 인정하고 존중하는 태도를 기를 수 있다. 다른 것은 틀린 것이 아니라 그저 같지 않은 것임을 우리 모두 함께 이해했으면 좋겠다.

○ 자신이 소개하고 싶은 책을 떠올려 소개하는 글 형식
의 독서 감상문을 한 편 써 봅니다.

채점 기준	
구분	답안 내용
평가 기준	책 제목, 책 내용, 책에서 흥미롭게 느꼈던 부분(책이 쓰여진 배경, 책 내용과 관련된 일화), 친구들에게 해 주고 싶은 말을 모두 넣어 독서 감상문을 알맞게 썼습니다. 상
	제시된 내용을 모두 썼지만 맞춤법이나 띄어쓰기가 틀린 부분이 있습니다. 중
	책 제목, 책 내용만 간단하게 썼습니다. 하

5일

79쪽 ^{똑똑한} **하루 글쓰기** 미리 보기

❶ 전 체
❷ 운 율
❸ 느 낌

채점 기준

1과 **2**에서 답한 내용을 넣어 시의 한 연을 알맞게 완성
하였으면 정답으로 합니다.

82쪽 ^{똑똑한} **하루 글쓰기** 고쳐쓰기

1 바 람

2

우	리	∨	민	족	을	∨	새	로	운	∨	지	식
에	∨	눈	뜨	게	∨	하	고					
	독	립	∨	의	지	∨	한	데	∨	모	아	
	조	국	의	∨	광	복	을	∨	위	해	∨	삶 을
불	태	웠	다	.								

1 '바램'은 '어떤 일이 이루어지기를 기다리는 간절한
마음.'이라는 뜻의 '바람'을 잘못 쓴 것입니다.

2 '한 데'는 '한데'라고 고쳐 써야 합니다. '한데'는 '한
곳이나 한군데.'를 뜻하는 한 낱말이기 때문입니다.

80~81쪽 ^{똑똑한} **하루 글쓰기**

1 높은 문 화 의 힘으로
우리나라가 세계에서 가장 아름다운 나라가 되기를 원
한 김구 선생의 바람.

2 그 간절한 바람을 가슴에 새기고
나아가고 또 나 아 가 는 우 리 .

3 ❶ 예 높은 문화의 힘으로
우리나라가 세계에서 가장 아름다운 나라가 되기를 원
한 김구 선생의 바람.
그 간절한 바람을 ❷ 예 가슴에 새기고
나아가고 또 나아가는 우리.

1 김구 선생은 우리나라가 세계에서 가장 아름다운 나
라가 되기를 원하였는데, 이는 높은 문화의 힘을 가
져야 이룰 수 있는 것으로 보았습니다.

┌─ **더 알아보기** ─┐
김구 선생이 말한 '문화의 힘이 높은 나라'의 뜻
• 우리의 훌륭한 문화를 보존하고 아끼는 나라
• 우리의 아름다운 미풍양속, 예의 등을 세계가 본받고 싶
어 하는 나라
• 평화를 사랑하고, 사람을 사랑하는 우리의 마음이 널리
알려져서 세계가 부러워하는 나라
└─────────────┘

2 보기 의 말을 모두 이용하여 알맞은 시구를 써 봅니다.

3 **1**과 **2**에서 답한 내용을 넣어 시 형식의 독서 감상문
을 완성해 봅니다.

83쪽 ^{똑똑한} **하루 글쓰기** 마무리

❶ 독립을 향한 유관순의 외침이
❷ 차가운 총부리
❸ 겨레의 가슴에 영원해요

◉ 빈칸의 앞이나 뒤의 시구를 살펴보고 독서 감상문에
서 관련 있는 부분을 찾아봅니다. 그 내용을 운율이
있는 짧은 말로 어떻게 표현하면 좋을지 생각해 보
고, 보기 에서 알맞은 시구를 찾아 씁니다.

채점 기준

구분	답안 내용	
평가 기준	보기 에서 세 가지의 시구를 모두 알맞게 찾아 썼습니다.	상
	보기 에서 두 가지의 시구만 알맞게 찾아 썼습니다.	중
	보기 에서 한 가지의 시구만 알맞게 찾아 썼습니다.	하

특강

 똑똑한 **하루** 창의·융합·코딩

85쪽

도서관에서 떠들지 말라는 얘기를 큰 목소리로 말하다니 "┃나┃는┃바┃담┃풍┃해┃도┃너┃는┃바┃람┃풍┃해┃라┃"와 똑같다.

86쪽

○ '일을 할 때의 일정한 절차나 양식 또는 한 무리의 사물을 특징짓는 데에 공통적으로 갖춘 모양.'이라는 뜻의 낱말은 '형식', '자기의 뜻대로 자유로이 행동하지 못하도록 억지로 억누름.'이라는 뜻의 낱말은 '억압', '한 나라가 지닌 정치, 경제, 문화, 군사 따위의 모든 방면에서의 힘.'이라는 뜻의 낱말은 '국력'입니다.

(왜 틀렸을까?)
- **내용**: 말, 글, 그림, 연출 따위의 모든 표현 매체 속에 들어 있는 것. 또는 그런 것들로 전하고자 하는 것.
- **해방**: 구속이나 억압, 부담 따위에서 벗어나게 함.
- **강국**: 군사력과 경제력이 뛰어나 국제 사회에서 그 세력을 인정하는 나라.

87쪽

🐰 (1) ○

○ 도깨비들이 욕심쟁이 혹부리 영감을 만나려면 아래쪽으로 1칸, 오른쪽으로 1칸 이동하는 것을 3번 반복하면 됩니다.

88쪽

🐰 안네는 13살 때 생일 선물로 받은 자신의 일기장을 '┃키┃티┃'라고 불렀어요.

○ ┃♥┃★┃를 표에서 찾으면 '키티'가 됩니다.

(더 알아보기)
안네가 쓴 일기의 특징
- 1942년 6월 14일부터 1944년 8월 1일까지 안네의 생활이 기록되어 있습니다.
- 제2차 세계 대전 당시에 은신처에서 살았던 안네의 가족과 다른 네 사람의 일상생활이 나타나 있습니다.

89쪽

🐰 김구와 윤봉길은 훙커우 공원에서 열리는 일본 천황의 (1) (생일 , 결혼) 축하식에서 폭탄을 던져 대한민국의 (2) (지배 , 독립) 의지를 보여 주고자 했어요. 중대한 일을 앞두고 두 인물은 결의를 다지며 (3) (시계 , 차표)를 교환하였지요.

○ 만화를 읽고, 김구와 윤봉길에 대한 설명을 알맞게 완성해 봅니다.

평가
누구나 100점 테스트

90~91쪽

1 일기 **2** 시계

3 ④

4

훔	친	∨	재	물	을	∨
가	난	한	∨	백	성	들	에
게	∨	나	누	어	∨	주	기	∨
위	해	서	였	다	.		

5 탐관오리 **6** 희망

7 달래 **8** 서윤

9 (1) ○

10

	우	리	나	라	가	∨	세
계	에	서	∨	가	장	∨	아
름	다	운	∨	나	라	가	
되	기	를	∨	원	한	∨	김
구	∨	선	생	의	∨	바	람	.

1 날짜와 요일, 날씨가 적혀 있는 걸로 보아, 일기 형식의 독서 감상문이라는 것을 알 수 있습니다.

2 짐은 시계를 팔아 델라에게 줄 머리핀을 샀습니다.

> (왜 틀렸을까?)
> 머리카락을 판 인물은 델라입니다. 델라는 자신의 머리카락을 잘라 판 돈으로 짐에게 줄 시곗줄을 샀습니다.

3 이 글에는 '받을 사람, 첫인사, 전하고 싶은 말, 끝인사'의 내용이 차례로 나와 있습니다.

4 홍길동은 가난한 백성들에게 나누어 주기 위해서 탐관오리에게 재물을 훔쳤습니다. ㉠에는 육하원칙 중에서 '왜'에 해당하는 내용이 들어가야 합니다.

5 '백성의 재물을 탐내어 빼앗는, 행실이 깨끗하지 못한 관리.'를 '탐관오리'라고 합니다.

6 안네는 전쟁의 두려움에 떨며 어떻게 하면 독일군에게 들키지 않을까를 늘 걱정하며 살았지만 결코 웃음을 잃지 않았다고 하였습니다. 또 힘든 상황에서도 희망과 행복을 찾았다는 내용으로 보아, '희망'이라는 말이 알맞다는 것을 알 수 있습니다.

7 『안네의 일기』를 읽고 소개하는 글 형식으로 독서 감상문을 쓴 것이므로 달래가 한 말이 알맞습니다. 소개하는 글 형식으로 독서 감상문을 쓸 때에는 책 제목, 책 내용, 책에서 자신이 특별히 흥미롭게 느꼈던 부분, 친구들에게 해 주고 싶은 말 외에도 책이 쓰여진 배경, 책 내용과 관련된 일화 등을 쓸 수 있습니다.

> (왜 틀렸을까?)
> **기찬:** 기사문 형식의 독서 감상문에 대해 말하고 있습니다.

8 시 형식으로 독서 감상문을 쓸 때에는 책 전체의 내용을 떠올려 보고 인상 깊었던 장면이나 인물의 마음, 또는 자신의 생각이나 느낌 등이 잘 드러나도록 짧고 운율이 있는 말로 표현하여 씁니다.

9 이 시에는 김구 선생이 나라를 위해 어떤 일을 하였는지, 김구 선생이 나라에 대해 어떻게 생각하였는지 나타나 있습니다. 따라서 이 시를 통해 김구 선생의 나라를 사랑하는 마음을 알 수 있습니다.

10 ㉠은 '어떤 일이 이루어지기를 기다리는 간절한 마음.'이라는 뜻의 '바람'으로 고쳐 써야 합니다.

> (왜 틀렸을까?)
> '바램'은 '볕이나 습기를 받아 색이 변함.'이라는 뜻입니다.

한 주 동안 수고했어요~!

94~95쪽 3주에는 무엇을 공부할까? ❷

1-1 (2) ×   1-2 자 기 소 개 서

2-1 (1) ○ (4) ○

2-2 (1) 희 망 (2) 까 닭 (3) 노 력

1-1 하루 동안 있었던 자신의 모습을 되돌아보며 쓴 글은 일기입니다.

1-2 다른 사람에게 자신을 소개하기 위해 성격, 특별한 경험, 취미나 특기, 장래 희망 등을 쓴 글은 자기소개서입니다.

2-1 장래 희망을 쓸 때에는 그러한 장래 희망을 가지게 된 까닭과 그것을 이루기 위해서 지금 어떤 노력을 하고 있는지 씁니다.

2-2 (1)은 밤톨이가 되고 싶은 것, (2)는 그렇게 되고 싶은 까닭, (3)은 그것을 이루기 위해 지금 하고 있는 노력입니다.

97쪽 똑똑한 하루 글쓰기 미리 보기

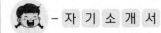 - 자 기 소 개 서

 - 성 격, - 행 동

98~99쪽 똑똑한 하루 글쓰기

1 호 기 심 이 많은 성격입니다.

2 궁금한 것이 있으면 언 제 든 질 문 을 하 거 나 직접 자료를 찾아보고는 합니다.

3
저	는	∨	호	기	심	이	∨	많	은	∨	성	격
입	니	다	.	그	래	서	∨	궁	금	한	∨	것	이	∨
있	으	면	∨	언	제	든	∨	질	문	을	∨	하	거
나	∨	직	접	∨	자	료	를	∨	찾	아	보	고	는	∨
합	니	다	.

1 호기심이 많은 성격인 밤송이는 지구가 어떤 곳인지 궁금해합니다.

2 호기심이 많은 성격이 잘 드러나는 행동은 궁금한 것의 답이 무엇인지 알려고 노력하는 것입니다.

3 1과 2에서 쓴 내용을 넣어 밤송이의 성격과 그런 성격이 드러나는 행동이나 습관을 씁니다.

> **채점 기준**
>
> 밤송이의 성격과 그런 성격이 드러나는 행동이나 습관을 알맞게 썼으면 정답입니다.

100쪽 똑똑한 하루 글쓰기 고쳐쓰기

1 (1) 활 발 하 다 (2) 겸 손 하 다

2   나 는 ∨ 다 정 하 고 ∨ 친 절 하 다 .

1 (1)에서 씩씩하게 뛰어 노는 것이 더 좋다고 하며 축구를 하는 진아는 활발한 성격이고, (2)에서 상을 받고도 운이 좋았다고 말하는 승윤이는 겸손한 성격입니다.

2 '다정하다. 그리고'는 '다정하고'로 줄여 표현할 수 있습니다.

> ┌ **더 알아보기** ┐
>
> '-고'는 성질이나 상태를 나타내는 말의 모양이 변하지 않는 부분에 붙어 두 가지 이상의 사실을 대등하게 연결해 줍니다.

101쪽 똑똑한 하루 글쓰기 마무리

예 제 이름은 박정아입니다. 저는 ❶ 사람들과 어울리는 것을 좋아하는 성격입니다. ❷ 처음 만나는 친구가 있으면 먼저 다가가 인사를 하곤 합니다.

예 제 이름은 박정아입니다. 저는 ❶ 용기가 있고 도전을 좋아하는 성격입니다. ❷ 실패를 두려워하지 않기 때문에 남들이 어려워서 망설이는 일에 먼저 나서고는 합니다.

● 만화에 나타난 정아의 성격을 알아보고, 성격이 잘 드러나는 행동이나 습관을 찾아 함께 씁니다.

채점 기준

구분	답안 내용	
평가 기준	성격과 성격이 드러나는 행동이나 습관을 바르게 짝 지어 썼습니다.	상
	성격과 성격이 드러나는 행동이나 습관을 바르게 짝 지어 썼지만 맞춤법이 틀리거나 어색한 표현이 있습니다.	중
	성격과 성격이 드러나는 행동이나 습관을 바르게 짝 지어 쓰지 못했습니다.	하

2일

103쪽 똑똑한 **하루 글쓰기** 미리 보기

특별한 경험

104~105쪽 똑똑한 **하루 글쓰기**

1 「울지 마 톤즈」라는 다큐멘터리 영화 를 보고 이태석 신부님의 사랑과 희생 정신에 큰 감동을 받았습니다.

2 영화를 본 뒤부터 주변에 어려움을 겪는 사람이 있으면 저도 도 움 을 주 기 위 해 노 력 하고 있습니다.

3 저는 「울지 마 톤즈」라는 ❶ 예 다큐멘터리 영화를 보고 이태석 신부님의 사랑과 희생 정신에 큰 감동을 받았습니다. 영화를 본 뒤부터 주변에 어려움을 겪는 사람이 있으면 ❷ 예 저도 도움을 주기 위해 노력하고 있습니다.

1 태진이는 영화를 보고 감동받은 일을 썼습니다. 자신에게 감동을 준 영화를 본 일도 특별한 경험이 될 수 있습니다.

2 영화를 보고 이태석 신부님의 사랑과 희생 정신에 감동을 받은 태진이에게 어떤 변화가 있었는지 알맞은 내용을 골라 봅니다.

3 1과 2의 내용을 보고 태진이의 특별한 경험과 그 경험이 태진이에게 어떠한 영향을 끼쳤는지 씁니다.

채점 기준

태진이의 특별한 경험과 그 경험이 태진이에게 어떠한 영향을 끼쳤는지 잘 드러나게 썼으면 정답입니다.

106쪽 똑똑한 **하루 글쓰기** 고쳐쓰기

1 (1) 주 위 (2) 놓 여

2

아	이	들	의	∨	선	생	님	이	자	∨	의	사	,
집	을	∨	짓	는	∨	건	축	가	이	기	도	∨	하
셨	던	∨	신	부	님	께	서	∨	돌	아	가	시	는	∨
부	분	에	서	∨	나	는	∨	펑	펑	∨	울	었	다	.

1 (1) '주변'은 '어떤 대상의 둘레.'를 뜻하고, '주위'는 '어떤 사물이나 사람을 둘러싸고 있는 것. 또는 환경.'을 뜻합니다.

(2) '처해'는 '어떤 형편이나 처지에 놓여.'라는 뜻이므로 '놓여'와 바꾸어 쓸 수 있습니다.

2 이태석 신부님은 웃어른이므로 높임 표현을 써야 합니다.

｛ 더 알아보기 ｝

주어에 높임 표현을 사용하면 서술어에도 높임 표현을 사용해야 문장의 호응이 자연스럽게 이루어집니다.

107쪽 똑똑한 **하루 글쓰기** 마무리

저는 원래 정리를 잘 하지 않는 성격이었는데 하루는 ❶ 제가 가지고 논 장난감을 정리하지 않아서 동생이 다치는 일이 있었습니다. 그 뒤로는 장난감뿐 아니라 ❷ 무엇이든 깨끗하게 정리하는 버릇이 생겼습니다.

◉ 글쓴이의 특별한 경험과 그 경험이 글쓴이에게 끼친 영향이 잘 드러나게 씁니다.

채점 기준

구분	답안 내용	
평가 기준	특별한 경험과 그것이 끼친 영향을 바르게 썼습니다.	상
	특별한 경험과 그것이 끼친 영향을 썼지만 틀린 표현이나 어색한 표현이 있습니다.	중
	특별한 경험과 그것이 끼친 영향이 잘 드러나지 않습니다.	하

3일

109쪽 똑똑한 하루 글쓰기 **미리 보기**

❶ 취 미
❷ 까 닭
❸ 노 력

110~111쪽 똑똑한 하루 글쓰기

1 (1) 저는 수 영 을 좋아합니다.
(2) 처음에는 건 강 해지려고 시작했는데, 지금은 가장 좋아하는 취미가 되었습니다.
2 요즘은 수영을 더 잘하기 위해서 하루도 빼먹지 않고 수 영 장 에 다 니 며 연 습 하고 있습니다.
3 저는 ❶ 예 수영을 좋아합니다. ❷ 예 처음에는 건강해지려고 시작했는데, 지금은 가장 좋아하는 취미가 되었습니다. 요즘은 수영을 더 잘하기 위해서 ❸ 예 하루도 빼먹지 않고 수영장에 다니며 연습하고 있습니다.

1 (1) 기찬이가 즐겨 하는 취미는 수영입니다.
(2) 기찬이가 수영을 시작하게 된 까닭은 건강해지기 위함입니다.

2 기찬이가 수영을 더 잘하기 위해서 어떤 노력을 하는지 찾아 씁니다.

3 1과 2의 내용을 이용하여 기찬이의 취미, 그러한 취미를 가지게 된 까닭, 그 취미를 위해서 기찬이가 하는 노력이 무엇인지 정리하여 씁니다.

채점 기준

취미나 특기가 무엇인지, 그 취미를 가지게 된 까닭이 무엇인지, 그것을 위해서 어떤 노력을 하고 있는지 드러나게 썼으면 정답입니다.

112쪽 똑똑한 하루 글쓰기 **고쳐쓰기**

1 예 나는 하루도 빼 먹 지 않고 수영장을 다니며 연습한다. / 예 나는 하루도 빠 지 지 않고 수영장을 다니며 연습한다.
2

나	는	V	수	영	을	V	잘	V	못	하	는	데	,
기	찬	이	는	V	수	영	을	V	정	말	V	잘	하
겠	다	.											

1 '빼먹다'에는 '규칙적으로 하던 일을 안 하다.'라는 뜻이 담겨 있고, '빠지다'에는 '어떤 일이나 모임에 참여하지 않는다.'라는 뜻이 담겨 있으므로 두 낱말 모두 '빠뜨리다'와 바꾸어 쓸 수 있습니다.

2 '잘하다'는 '좋고 훌륭하게 하다.'라는 뜻이고, '잘하지 못하다.'라는 뜻으로 쓸 때에는 '잘 못하다'로 띄어 써야 합니다.

{ 왜 틀렸을까? }
잘못하다: 틀리거나 그릇되게 하다.
예 민수를 놀린 일은 네가 잘못한 일이야.

113쪽 똑똑한 하루 글쓰기 **마무리**

예 제 특기는 빵 만들기입니다. 삼촌께서 제빵사셔서 자연스럽게 빵 만드는 법을 배웠습니다. 더 맛있는 빵을 만들기 위해서 새로운 재료를 이용해 여러 가지 빵 만드는 연습을 자주 합니다.

◉ 달래의 특기가 무엇인지, 그러한 특기를 가지게 된 까닭과 그 특기를 위해 달래가 하는 노력은 무엇인지 등을 씁니다.

구분	답안 내용	
평가 기준	취미나 특기, 그러한 취미나 특기를 가지게 된 까닭, 달래가 하고 있는 노력이 잘 드러나게 썼습니다.	상
	알맞은 내용을 썼지만 맞춤법에 어긋나는 표현이 있거나 표현이 자연스럽지 않습니다.	중
	써야 하는 내용 중에서 빠진 내용이 있거나 내용이 잘 드러나지 않습니다.	하

4일

115쪽 · 똑똑한 하루 글쓰기 미리 보기

- 희 망   - 까 닭   - 노 력

116~117쪽 · 똑똑한 하루 글쓰기

1 제 꿈은 [특][수][효][과][전][문][가]입니다.

2 (1) 영화에서 본 [특][수][효][과]가 [정][말][실][감][나][고] 신기해서 이 직업에 관심이 생겼습니다.
(2) 요즘은 특수 효과를 만드는 데 필요한 [프][로][그][램][을][열][심][히][배][우][고] 있습니다.

3 제 꿈은 ❶예 특수 효과 전문가입니다. 영화에서 본 ❷예 특수 효과가 정말 실감 나고 신기해서 이 직업에 관심이 생겼습니다. 요즘은 특수 효과를 만드는 데 필요한 ❸예 프로그램을 열심히 배우고 있습니다.

1 태민이는 영화에 표현된 진짜 같은 미래의 모습을 보고 특수 효과 전문가가 되고 싶어 하였습니다.

2 (1) 태민이가 왜 특수 효과 전문가가 되고 싶어 하는지 알맞은 내용을 찾아 씁니다.
(2) 태민이가 특수 효과 전문가가 되기 위해서 어떤 노력을 하고 있는지 알맞은 내용을 찾아 씁니다.

3 1과 2의 내용을 이용하여 태민이의 장래 희망, 그 장래 희망을 갖게 된 까닭, 장래 희망을 이루기 위해 어떤 노력을 하고 있는지 정리하여 씁니다.

장래 희망, 장래 희망을 갖게 된 까닭, 장래 희망을 이루기 위한 노력이 잘 드러나게 정리하여 썼으면 정답입니다.

118쪽 · 똑똑한 하루 글쓰기 고쳐쓰기

1 (1) [장][래]   (2) [세][계]

2 ⌄ 3 학 년 ⌄ 때 에 는 ⌄ 제 ⌄ 장 래 ⌄ 희 망 이 ⌄ 선 생 님 이 었 습 니 다 . 그 러 나 ⌄ 지 금 의 ⌄ 장 래 ⌄ 희 망 은 ⌄ 특 수 ⌄ 효 과 ⌄ 전 문 가 입 니 다 .

1 '장래 희망', '세계'라고 고쳐 써야 합니다.

2 앞의 내용과 뒤의 내용이 서로 반대되거나 어긋날 때 문장을 이어 주는 말은 '그러나'입니다.

왜 틀렸을까?
'그래서'는 앞의 내용이 뒤의 내용의 원인이나 근거, 조건 따위가 될 때 이어 주는 말이고, '그리고'는 앞의 내용과 뒤의 내용을 나란히 늘어놓을 때 이어 주는 말입니다.

119쪽 · 똑똑한 하루 글쓰기 마무리

제 꿈은 태권도 국가 대표가 되어 올림픽 대회에 나가는 것입니다. 텔레비전에서 멋진 태권도 경기를 보고 그런 꿈을 가지게 되었습니다. 그래서 태권도 학원에서 매일 열심히 연습을 하고 있습니다.

○ 태권도 국가 대표가 되어 올림픽 대회에 나간다는 장래 희망을 가지게 된 까닭, 태권도 국가 대표가 되기 위한 노력을 찾아 씁니다.

구분	답안 내용	
평가 기준	장래 희망을 가지게 된 까닭과 장래 희망을 이루기 위한 노력을 바르게 짝 지어 썼습니다.	상
	두 가지 내용을 바르게 짝 지어 썼지만 맞춤법에 맞지 않는 표현이나 어색한 표현이 있습니다.	중
	두 가지 내용을 짝지어 쓰지 못했습니다.	하

5일

121쪽

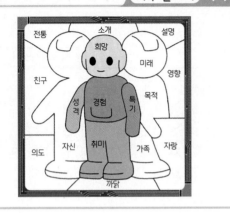

122~123쪽

1 저는 신중한 성격입니다. 그런 성격 덕분에 실수를 잘 하지 않습니다.

2 (1) 수업 시간에 선생님께 노래를 잘한다는 칭찬을 듣고 노래를 좋아하게 되었습니다.

(2) 저는 노래를 부르는 것을 좋아하기 때문에 노래를 더 잘하기 위해서 발성 연습을 하고 있습니다.

3 저의 장래 희망은 훌륭한 작가가 되는 것입니다. ❶ 책 읽기와 글쓰기를 좋아해서 작가를 꿈꾸게 되었습니다. 요즘은 작가가 되기 위해서 ❷ 매일 일기를 쓰며 글쓰기 실력을 기르고 있습니다.

1 한 번 더 생각해 보고 결정하자는 정인이의 모습에서 정인이가 신중한 성격이라는 것을 알 수 있습니다.

2 노래를 잘한다는 칭찬을 들은 정인이의 특별한 경험과 노래 부르는 것을 좋아하는 정인이의 취미를 씁니다.

3 정인이가 작가가 되고 싶어 하는 까닭, 작가가 되기 위해서 어떤 노력을 하고 있는지 찾아서 씁니다.

채점 기준
> 작가가 되고 싶어 하는 까닭, 작가가 되기 위한 노력을 바르게 찾아 썼으면 정답입니다.

124쪽

1 노래를 잘하기 위해서는 꾸준히 연습해야 한다는 것을 깨달아 매일 발성 연습을 하고 있습니다.

2 저의 ∨ 장래 ∨ 희망은 ∨ 훌륭한 ∨ 작가가 ∨ 되는 ∨ 것입니다. 책 ∨ 읽기와 ∨ 글쓰기를 ∨ 좋아하기 ∨ 때문입니다.

1 '깨달아'의 기본형은 '깨닫다'입니다. 그러나 모양이 변하지 않는 '깨닫'의 뒤에 모음으로 시작하는 '아'가 이어지면서 'ㄷ' 받침이 'ㄹ'로 바뀐 것입니다.

> **더 알아보기**
>
> 성질이나 상태, 움직임을 나타내는 말은 모양이 변하는 부분과 모양이 변하지 않는 부분이 있습니다. 그러나 '깨달아', '물어'처럼 모양이 변하지 않는 부분이 특별한 조건에서만 모양이 변하는 경우가 있습니다.

2 '글쓰기'는 하나의 낱말이므로 붙여 쓰고, '책 읽기'는 하나의 낱말이 아니므로 띄어 써야 합니다.

125쪽

(예)

성격	저는 인내심이 많고 성실합니다. 어려운 일도 포기하지 않고 꾸준히 노력하여 성공하는 일이 많습니다.
특별한 경험	유기 동물 보호소로 현장 체험학습을 간 일이 있었습니다. 그곳에서 봉사 활동을 하면서 동물들도 사람들의 관심과 사랑이 아주 많이 필요하다는 것을 느꼈습니다. 그 후로 유기견을 입양하여 가족처럼 키우고 있습니다.
취미나 특기	제 특기는 마술입니다. 텔레비전에서 마술 공연을 보고 마술에 푹 빠지게 되었습니다. 일주일에 한 가지씩 새로운 마술을 익히기 위해 열심히 연습하고 있습니다.
장래 희망	저는 통역사가 되고 싶습니다. 외국의 행사나 방송을 우리말로 쉽게 풀어 주는 통역사의 모습이 멋져서 그런 꿈을 갖게 되었습니다. 그래서 다른 친구들보다도 더 열심히 외국어 공부를 하고 있습니다.

◎ 성격, 특별한 경험, 취미나 특기, 장래 희망을 통해서 자신을 잘 알릴 수 있도록 씁니다.

채점 기준

구분	답안 내용	
평가 기준	네 가지 내용이 모두 잘 드러나게 썼습니다.	상
	두 가지 또는 세 가지 내용이 잘 드러나게 썼습니다.	중
	한 가지 내용만 잘 드러나게 썼습니다.	하

특강 똑똑한 하루 **창의·융합·코딩**

127쪽

"개 똥 도 약 에 쓰 려 면 없 다"더니 쓰려고 찾으니 그 많던 지우개가 하나도 보이지 않았다.

128쪽

◎ '남을 존중하고 자기를 내세우지 않는 태도가 있음.'을 뜻하는 낱말은 '겸손', '몸과 마음을 바쳐 있는 힘을 다함.'을 뜻하는 낱말은 '헌신', '기쁨이나 감격이 마음에 가득 차서 벅차다.'를 뜻하는 낱말은 '뿌듯하다'입니다.

129쪽

이태석 신부님께서는 남수단 사람들의 선 생 님 이 되고, 의 사 가 되기도 하셨으며, 집을 짓는 건 축 가 이기도 하셨습니다.

◎ 코딩 명령을 따라가면 선생님, 의사, 건축가를 만날 수 있습니다.

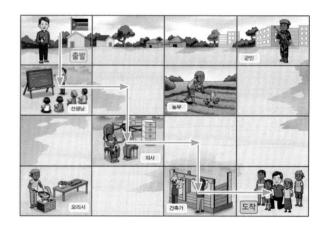

130쪽

감자빵 다섯 개를 만들려면 반죽에 삶은 감자는 2.5개, 밀가루는 100g, 우유는 150 ㎖를 넣어요. 그리고 설탕은 10작은술, 소금은 5작은술, 버터는 50 g을 넣어요.

◎ 감자빵 한 개를 만드는 데 우유는 30ml가 필요하고, 버터는 10g이 필요합니다. 감자빵 다섯 개를 만들어야 하므로 각각의 재료가 필요한 양에 곱하기 5를 하여 계산합니다.
  • 우유: 30×5=150(ml)
  • 버터: 10×5=50(g)

131쪽

○ '수영장 안전 수칙'의 내용을 지키지 않은 친구는 모두 세 명입니다. 내용을 잘 살펴보고 찾아 봅니다.

평가　　　　　　　　누구나 **100점** 테스트

132~133쪽

1 (2) ○

2
저	는	∨	호	기	심	이	∨
많	은	∨	성	격	이	어	서	∨
사	람	들	에	게	∨	질	문
을	∨	많	이	∨	합	니	다	.

3 (2) ○　　　　　　　　　**4** 울지 마 톤즈

5 ①　　　　　　　　　　　**6** ⑤

7 특수 효과 전문가

8 영화에서 본 | 특 | 수 | 효 | 과 |가 정말 실감 나고 신기해서 이 직업에 관심이 생겼다.

9 (1) ㉠ (2) ㉡

10
책		읽	기	와		글	쓰
기							

1 다른 사람에게 자기를 소개하기 위해 쓴 글은 자기 소개서입니다.

2 밤송이와 엄마의 대화에서 알 수 있는 밤송이의 성격을 찾아 씁니다.

3 가만히 앉아서 노는 것보다 축구를 하며 씩씩하게 뛰어 노는 것이 더 좋다고 하는 진아의 성격은 활발한 성격입니다.

4 글쓴이는 「울지 마 톤즈」라는 다큐멘터리 영화를 보고 감동받아 자신도 다른 사람에게 도움을 주려고 노력하게 되었습니다.

5 기찬이는 수영을 좋아하는데, 처음에는 건강해지려고 시작했다고 하였습니다.

6 이 글에는 기찬이의 취미, 그 취미를 가지게 된 까닭, 취미를 위해 노력하는 일이 나타나 있습니다.

〔 **더 알아보기** 〕

　취미는 전문적으로 하는 것이 아니라 즐기기 위하여 하는 일이고, 특기는 남이 가지지 못한 특별한 기술이나 기능을 뜻합니다.

7 태민이는 '제 꿈은 특수 효과 전문가입니다.'라고 하였습니다.

8 태민이가 특수 효과 전문가가 되고 싶어 한 까닭은 영화에서 본 특수 효과가 정말 실감 나고 신기했기 때문입니다.

9 (1)은 성격에 해당하고, (2)는 글쓴이의 특별한 경험에 해당합니다.

10 '책 읽기'는 한 낱말이 아니므로 띄어 쓰고, '글쓰기'는 한 낱말이므로 붙여 씁니다.

한 주 동안
수고했어요~!

136~137쪽 **4주에는 무엇을 공부할까? ②**

1-1 글봇 1-2 (1) ○

2-1 상 품 광 고 문 2-2 (1) ○

1-1 설명문에 들어갈 지식이나 정보를 설명하는 문장을 고쳐 쓸 때에는 불확실한 표현을 사용한 문장을 객관적인 정보를 담은 문장으로 고쳐 써야 합니다.

1-2 (2)는 태극기를 보고 든 생각이나 느낌을 표현한 문장입니다. 지식이나 정보를 설명하는 문장에는 (1)과 같은 객관적인 정보를 담은 문장을 사용해야 합니다.

2-1 '무조건', '절대로' 같은 과장된 표현을 사용하지 않아야 하는 글은 상품 광고문입니다.

2-2 오래 걸으면 발이 아플 수도 있으므로 '절대로' 발이 아프지 않다는 것은 과장된 표현입니다.

┌─《 왜 틀렸을까? 》─────────
│ (2)는 논설문을 고쳐 쓰는 방법입니다.
└─────────────────────

1일

139쪽 똑똑한 **하루 글쓰기** 미리 보기

주장

140~141쪽 똑똑한 **하루 글쓰기**

1 사용하지 않는 전자 제품의 플러그를 뽑으면 전기세를 절 약 할 수 있습니다.

2 사용하지 않는 전자 제품의 플러그를 뽑으면 지 구 환 경 을 보 호 할 수 있습니다.

3 첫째, ❶ 예 <u>사용하지 않는 전자 제품의 플러그를 뽑으면 전기세를 절약할 수 있습니다.</u> 한국전기연구원에 따르면, 사용하지 않는 전자 제품의 플러그를 뽑으면 연간 1인당 평균 38.3킬로와트의 대기 전력을 아낄 수 있다고 합니다. 전기는 사용하는 만큼 비용을 지불해야 하므로, 사용하지 않는 전자 제품의 플러그를 뽑으면 전기세 지출을 줄일 수 있습니다.

둘째, ❷ 예 <u>사용하지 않는 전자 제품의 플러그를 뽑으면 지구 환경을 보호할 수 있습니다.</u> 한국전기연구원에 따르면, 사용하지 않는 전자 제품의 플러그를 뽑으면 발전 시 발생하는 이산화 탄소 배출량을 1년에 12.6킬로그램 줄일 수 있다고 합니다. 이산화 탄소 배출량을 줄이면 지구의 기온 상승 폭을 낮출 수 있고, 기후 변화로 인한 피해도 줄일 수 있습니다.

1~2 사용하지 않는 전자 제품의 플러그를 뽑아 두자는 주장과 관련 있고 주장을 뒷받침할 수 있도록 근거 두 가지를 완성해 씁니다.

3 1과 2에서 완성한 근거 문장을 이용해 논설문의 가운데 부분을 완성해 봅니다.

┌─ 채점 기준 ──────────────
│ 사용하지 않는 전자 제품의 플러그를 뽑아 두자는 주장
│ 에 어울리는 근거를 잘 썼으면 정답으로 합니다.
└─────────────────────

142쪽 똑똑한 **하루 글쓰기** 고쳐쓰기

1 (1) 화 재 (2) 화 제

2 | 자 전 거 를 ∨ 빌 리 려 면 ∨ 시 간 당 ∨ 이 천 ∨ 원 을 ∨ 내 야 ∨ 한 다 .

1 (1) '불이 나는 재앙. 또는 불로 인한 재난.'이라는 뜻의 '화재'가 알맞은 낱말입니다.

(2) '이야기할 만한 재료나 소재. 이야깃거리.'라는 뜻의 '화제'가 알맞은 낱말입니다.

2 '마다'의 뜻을 더하는 '-당'은 앞말과 붙여 써야 하므로 '시간당'이 알맞은 표현입니다.

143쪽 똑똑한 **하루 글쓰기** 마무리

주장

중학교에 가서도 하루 한 시간씩 걷기 운동을 합시다.

고쳐 쓴 근거 ㉠

예) 둘째, 걷기 운동을 하면 몸과 마음이 모두 튼튼해집니다.

○ 논설문의 주장을 정리해 보고, 주장에 어울리게 근거를 고쳐 써 봅니다.

채점 기준

구분	답안 내용	
평가 기준	주장과 근거를 모두 잘 썼습니다.	상
	주장과 근거를 모두 썼지만 고쳐 쓴 근거에 어색한 부분이 있습니다.	중
	주장과 근거 중 한 가지만 답을 썼습니다.	하

2일

145쪽 똑똑한 **하루 글쓰기** 미리 보기

❶ 설명문
❷ 생각
❸ 불확실
❹ 사실

146~147쪽 똑똑한 **하루 글쓰기**

1 중부 지방에서는 북부 지방과 남부 지방의 중간 형태의 가옥 구조가 나타납니다.
2 따라서 ㄱ, ㄴ 자 형태의 가옥을 볼 수 있습니다.

3 중부 V 지방에서는 V 북부 V 지방과 V 남부 V 지방의 V 중간 V 형태의 V 가옥 V 구조가 V 나타납니다. 따라서 V ㄱ, ㄴ 자 V 형태의 V 가옥을 V 볼 V 수 V 있습니다.

1 '나타날 것 같습니다'라는 불확실한 표현을 바르게 고쳐 써 봅니다.

2 그림과 밤톨의 말을 보고, 중부 지방의 가옥 구조에 대한 정보를 사실대로 바르게 고쳐 씁니다.

3 1과 2에서 쓴 문장을 이용해 설명문에 들어갈 지식이나 정보를 설명하는 문장을 바르게 고쳐 써 봅니다.

채점 기준

불확실한 표현을 사용한 문장을 객관적인 정보를 담은 문장으로 고쳐 쓰고, 사실이 아닌 정보를 사실대로 고쳐 썼으면 정답으로 합니다.

148쪽 똑똑한 **하루 글쓰기** 고쳐쓰기

1 북부 지방에서는 추위에 강한 집 구조가 나타납니다.
2 바람이 V 잘 V 통하지 V 않는 V ㅁ 자 V 구조의 V 집을 V 지어 V 보온이 V 잘됩니다.

1 '가옥'은 '사람이 사는 집.'이라는 뜻이므로, 바꾸어 쓰기에 알맞은 낱말은 '집'입니다.

〔 왜 틀렸을까? 〕
• 방: 사람이 살거나 일을 하기 위하여 벽 따위로 막아 만든 칸.
• 창: 공기나 햇빛을 받을 수 있고, 밖을 내다볼 수 있도록 벽이나 지붕에 낸 문.

2 '아주 적절하게. 또는 아주 알맞게.'의 뜻을 가진 낱말 '잘'은 뒷말과 띄어 쓰므로 '잘 통하지'가 올바른 띄어쓰기입니다. 하지만 '일, 현상, 물건 따위가 썩 좋게 이루어지다.'라는 뜻의 '잘되다'는 한 낱말이므로, '잘됩니다'와 같이 붙여 써야 한다는 점에 주의합니다.

149쪽 · 똑똑한 하루 글쓰기 마무리

❶ ㉡

❷ 예

한	국	의		젓	가	락	은		일	본	의
젓	가	락	에		비	해		납	작	한		편	입
니	다	.

◎ 불확실한 표현을 사용한 문장을 찾아 객관적인 정보를 담은 문장으로 바르게 고쳐 씁니다.

채점 기준

구분	답안 내용	
평가 기준	㉡을 알맞게 찾고, 문장을 잘 고쳐 썼습니다.	상
	㉡을 알맞게 찾고, 문장을 고쳐 썼지만 맞춤법이나 띄어쓰기가 틀린 부분이 있습니다.	중
	㉡을 알맞게 찾았지만 문장을 고쳐 쓰지 못하였습니다.	하

3일

151쪽 · 똑똑한 하루 글쓰기 미리 보기

152~153쪽 · 똑똑한 하루 글쓰기

1 10월 16일 학교 운동장에서 교내 줄넘기 대회가 열렸다. 이 대회에서 6학년 3반 [기][찬] 학생이 일 등을 하여 상장과 상품을 받았다.

2 일 등을 한 기찬 학생은 "일 등을 할 것이라고는 기대하지 못했는데 예 [열][심][히] [연][습][한] [보][람][이] [있][어] / 예 [상][장][과] [상][품][을] [받][아][서] [무][척] 기쁩니다."라고 소감을 밝혔다.

3 10월 16일 학교 운동장에서 교내 줄넘기 대회가 열렸다. 이 대회에서 ❶ 예 6학년 3반 기찬 학생이 일 등을 하여 상장과 상품을 받았다. 일 등을 한 기찬 학생은 "❷ 예 일

등을 할 것이라고는 기대하지 못했는데 열심히 연습한 보람이 있어 기쁩니다. / 예 상장과 상품을 받아서 무척 기쁩니다."라고 소감을 밝혔다.

1 그림을 보고, 10월 16일에 실제로 있었던 일에 맞게 알맞은 인물의 이름을 씁니다.

2 1에서 답한 일에 대한 인터뷰 내용을 정리해 문장을 완성해 씁니다.

3 1과 2에서 쓴 내용을 이용해 학급 신문 기사문을 사실대로 고쳐 씁니다.

채점 기준

10월 16일에 실제로 있었던 일에 맞게 기사문을 잘 고쳐 썼으면 정답으로 합니다.

154쪽 · 똑똑한 하루 글쓰기 고쳐쓰기

1 꼭 이번 [학][내] 줄넘기 대회에서 일 등을 할 거야!

2

곰	곰	이	V	생	각	해	V	봤	는	데	,	네
가	V	아	무	리	V	열	심	히	V	연	습	해	도	V
일	V	등	은	V	내	V	차	지	야	!

1 '학교의 내부.'를 뜻하는 '학내'와 뜻이 같은 낱말은 '교내'입니다.

2 '여러모로 깊이 생각하는 모양.'을 뜻하는 낱말의 바른 표기는 '곰곰이'이고, '어떤 일에 온 정성을 다하여 골똘하게.'를 뜻하는 낱말의 바른 표기는 '열심히'입니다.

155쪽 · 똑똑한 하루 글쓰기 마무리

지난주 수요일에 졸업 앨범에 실릴 사진을 남기기 위해 ❶ 예 운동장에 모여 사진 촬영을 했다. 친구들은 돌아가며 개인 촬영도 하고, 모둠 촬영도 했다. ❷ 예 질서를 잘 지키며 촬영을 하는 친구들에게 ❸ 예 담임 선생님께서 칭찬을 하셨다. 민사랑 친구는 "아직 졸업을 한다는 것이 실감 나지 않아 조금은 얼떨떨한 기분으로 촬영을 마쳤답니다." 하고 소감을 밝혔다.

이아린 기자

○ 만화를 읽고, 실제로 있었던 일에 맞게 사실대로 기사문을 고쳐 씁니다.

채점 기준

구분	답안 내용	
평가 기준	❶~❸을 모두 사실대로 잘 고쳐 썼습니다.	상
	❶~❸ 중 두 가지만 사실대로 고쳐 썼습니다.	중
	❶~❸ 중 한 가지만 사실대로 고쳐 썼습니다.	하

4일

157쪽 똑똑한 **하루 글쓰기** 미리 보기

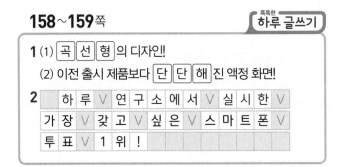

❶ 광 고 문
❷ 과 장
❸ 감 추 는

158~159쪽 똑똑한 **하루 글쓰기**

1 (1) 곡 선 형 의 디자인!

(2) 이전 출시 제품보다 단 단 해 진 액정 화면!

2

하루	V	연구소에서	V	실시한	V
가장	V	갖고	V	싶은	V	스마트폰	V
투표	V	1위!			

1 (1) '최고'라는 표현을 지우고, 디자인에 대한 정확한 정보를 담아 광고문을 고쳐 씁니다.

(2) '절대로'라는 표현을 지우고, 액정 화면에 대한 정확한 정보를 담아 광고문을 고쳐 씁니다.

2 제시된 광고문에는 어떤 투표에서 1위를 했는지에 대한 정보가 감추어져 있습니다. 그림 속 정보를 보고 보기 에서 알맞은 기관을 찾아 감추어진 정보가 드러나도록 광고문을 고쳐 씁니다.

160쪽 똑똑한 **하루 글쓰기** 고쳐쓰기

1 (1) 갖 고 (2) 같 다

2 예

	떨	어	뜨	려	도	V	절	대	로	V	깨	지	지	V
않	는	V	액	정	V	화	면	!						

1 (1) '자기 것으로 하고.'라는 뜻의 '갖고'가 알맞은 낱말입니다.

(2) '서로 다르지 않고 하나이다.'라는 뜻의 '같다'가 알맞은 낱말입니다.

2 '떨어뜨려도', '않는', '액정'은 [떠러뜨려도], [안는], [액쩡]으로 소리 나지만 맞춤법에 맞게 써야 합니다.

┌ **더 알아보기** ┐
'떨어뜨리다'는 '떨어트리다'로 바꾸어 써도 맞춤법에 알맞은 낱말입니다.
└─────────┘

161쪽 똑똑한 **하루 글쓰기** 마무리

❶ 예 열두 가지 색을 사용해 다양한 그림을 그릴 수 있는 천재 크레파스!

❷ 예 열두 가지 색상이 선명하게 표현되는 천재 크레파스!

○ 친구들의 말을 읽고 광고문의 문제점에 대해 알아보고, 문제점이 없도록 광고문을 알맞게 고쳐 써 봅니다.

채점 기준

구분	답안 내용	
평가 기준	과장되거나 감추는 내용 없이 ❶과 ❷를 모두 잘 바꾸어 썼습니다.	상
	과장되거나 감추는 내용 없이 ❶과 ❷를 모두 바꾸어 썼지만 맞춤법이나 띄어쓰기가 틀린 부분이 있습니다.	중
	❶과 ❷ 중 하나만 바꾸어 썼습니다.	하

163쪽 　 하루 글쓰기 미리 보기

🤖 - 상 대 ,　😮 - 배 려 ,

🐼 - 줄 임 말

164~165쪽 　똑똑한 하루 글쓰기

1 (1) 얘들아, | 생 | 일 | 선 | 물 | 정말 고마워!

(2) 내가 준 | 문 | 화 | 상 | 품 | 권 | 으로 보고 싶은 책 꼭 사 봐!

2
| 미 | 안 | 해 | . | | 밤 | 톨 | 이 | ∨ | 생 | 일 | ∨ | 파 | 티 | ∨ |
| 얘 | 기 | 였 | 어 | . | | | | | | | | | | |

1 (1) '생선'은 '생일 선물'을 각 낱말의 앞 글자만으로 줄여 쓴 말입니다. 줄임 말 대신 '생일 선물'이라는 말로 바르게 고쳐 씁니다.

(2) '문상'은 '문화 상품권'을 각 낱말의 앞 글자만으로 줄여 쓴 말입니다. 줄임 말 대신 '문화 상품권'이라는 말로 바르게 고쳐 씁니다.

2 'ㅈㅅ'은 '죄송'을 자음자만으로 줄여 쓴 낱말입니다. 사과의 뜻을 담아 친구에게 할 수 있는 바른 말은 '미안해.'입니다. 또, '생파'는 '생일 파티' 또는 '생신 파티'를 각 낱말의 앞 글자만으로 줄여 쓴 말로, 친구에게 쓸 때는 '생일 파티'가 알맞습니다.

【 더 알아보기 】
　줄임 말과 신조어 등을 사용하면 상대와의 의사소통에 어려움을 겪을 수 있으므로 바르고 고운 말을 사용해야 합니다.

166쪽 　똑똑한 하루 글쓰기 고쳐쓰기

1 예 보고 싶은 | 도 | 서 | 꼭 사 봐!

예 보고 싶은 | 서 | 적 | 꼭 사 봐!

예 보고 싶은 | 서 | 책 | 꼭 사 봐!

2
| | 앞 | 으 | 로 | 는 | ∨ | 줄 | 임 | ∨ | 말 | ∨ | 안 | ∨ | 쓸 |
| 게 | . | | | | | | | | | | | | |

1 '도서', '서적', '서책'은 모두 '일정한 목적, 내용, 체재에 맞추어 사상, 감정, 지식 따위를 글이나 그림으로 표현하여 적거나 인쇄하여 묶어 놓은 것.'의 뜻을 가진 낱말로, '책'과 같은 뜻의 낱말입니다.

2 '단어의 일부분이 줄어든 말. 또는 여러 단어를 한 단어로 줄여 만든 말.'을 뜻하는 말은 '줄임 말'로, 띄어쓰기에 유의해야 합니다. '아니'의 뜻을 가진 낱말은 '안'으로, '아니하'로 바꾸어 쓸 수 있는 '않'과 헷갈리지 않도록 주의합니다.

【 더 알아보기 】
　'앞으로는 줄임 말 안 쓸게.'라는 문장은 '앞으로는 줄임 말 쓰지 않을게.'로 바꾸어 쓸 수 있습니다.

167쪽 　똑똑한 하루 글쓰기 마무리

예 음식물 쓰레기를 줄이자는 의견에 동의해. 나도 밥을 남기지 않을게.

🔵 줄임 말 등 상대가 이해하기 어려운 표현을 사용하지 말고 바르고 고운 말로 온라인 댓글을 고쳐 써 봅니다.

채점 기준

구분	답안 내용	
평가 기준	'음쓰'와 'ㅇㅈ'을 상대가 이해하기 쉬운 말로 바르게 고쳐 댓글을 완성해 썼습니다.	상
	'음쓰'와 'ㅇㅈ'을 상대가 이해하기 쉬운 말로 바르게 고쳐 댓글을 썼지만, 맞춤법이나 띄어쓰기가 틀린 부분이 있습니다.	중
	'음쓰'와 'ㅇㅈ' 중 고쳐 쓰지 않은 말이 있습니다.	하

특강 　똑똑한 하루 창의·융합·코딩

169쪽

"| 하 | 룻 | 강 | 아 | 지 | 범 | 무 | 서 | 운 | 줄 | 모 | 른 | 다 |"
더니 1학년 동생이 고등학생인 형을 이길 수 있다고 덤볐다.

170쪽

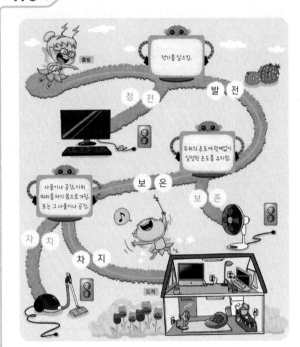

○ '전기를 일으킴.'이라는 뜻의 낱말은 '발전', '주위의 온도에 관계없이 일정한 온도를 유지함.'이라는 뜻의 낱말은 '보온', '사물이나 공간, 지위 따위를 자기 몫으로 가짐. 또는 그 사물이나 공간.'이라는 뜻의 낱말은 '차지'입니다.

┌─ **(왜 틀렸을까?)** ─────────
│ • **정전**: 오던 전기가 끊어짐.
│ • **보존**: 잘 보호하고 간수하여 남김.
│ • **자치**: 자기 일을 스스로 다스림.
└────────────────────────

171쪽

우리나라 북부 지방으로 갈수록 김치가 (1) (짜지고 , 싱거워지고), 남부 지방으로 갈수록 김치가 (2) (짜져요, 싱거워져요).

○ 북부 지방으로 갈수록 날씨가 추워지고, 추운 지방에서는 소금 간을 적게 하고 양념이 담백한 김치를 많이 먹는다고 하였으므로 북부 지방으로 갈수록 김치는 싱거워집니다. 남부 지방으로 갈수록 날씨가 따뜻해지고, 따뜻한 지방에서는 소금을 듬뿍 넣고 진한 젓갈과 양념으로 맛을 낸다고 하였으므로 남부 지방으로 갈수록 김치는 짜집니다.

172쪽

기찬이가 넘은 줄넘기의 횟수를 식으로 나타내면 다음과 같아요.

$$15 \times \boxed{\textbf{❶} 4} + \boxed{\textbf{❷} 11} = \boxed{\textbf{❸} 71}$$

○ 15개의 네 배에 11을 더한 수이므로 15에 4를 곱한 60에 11을 더한 71이 기찬이가 넘은 줄넘기의 횟수입니다.

173쪽

```
▶ 시작하기 버튼을 클릭했을 때
  2  번 반복하기
  ↓ 방향으로  2  칸 움직이기
  → 방향으로  1  칸 움직이기
```

○ 태진이가 스마트폰을 파는 가게에 도착하기 위해서는 '↓ 방향으로 두 칸, → 방향으로 한 칸 움직이기'를 두 번 반복해야 합니다. 따라서 빈칸에 알맞은 숫자는 2입니다. 코딩 명령에 따라 이동하면 다음과 같습니다.

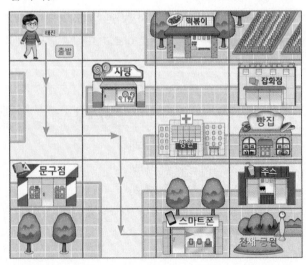

174~175쪽

1 (2) ○

2

걷	기	∨	운	동	은	∨	
생	활	∨	속	에	서	∨	가
장	∨	쉽	게	∨	실	천	할	∨
수	∨	있	는	∨	운	동	입
니	다	.					

3 판판   **4** (2) ○

5 사실   **6** (교내) 줄넘기 대회

7 (1) ○   **8** 글봇

9 | 음 | 식 | 물 | 쓰 | 레 | 기 | 를 줄이자는 의견에 나도 동의

해.

10 (1) ×

---

1 제시된 근거들은 사용하지 않는 전자 제품의 플러그를 뽑자는 주장을 뒷받침하는 근거들입니다.

2 중학교에 가서도 하루 한 시간씩 걷기 운동을 하자는 주장에 어울리는 말인 '걷기 운동'을 쓰고 문장을 따라 써 봅니다.

3 이 글은 '~ㄹ 것 같습니다.' 같은 불확실한 표현이나 중부 지방에서 ─ 자 형태의 가옥을 볼 수 있다는 내용의 사실이 아닌 정보를 담은 문장을 사용하였다는 문제점이 있습니다. 설명문에 지식이나 정보를 전달하는 문장을 쓸 때에는 객관적인 정보를 담은 표현을 사실대로 사용해야 합니다.

4 설명문에는 객관적인 정보를 담은 문장을 써야 합니다. 객관적인 정보를 담아 쓴 문장은 (2)입니다.

{ **왜 틀렸을까?** }
문장 (1)은 '~ㄹ 수도 있습니다.'라는 불확실한 표현을 사용하였습니다.

5 학급 신문 기사문에는 거짓으로 지어내거나 상상한 내용을 쓰면 안 됩니다. 학급 신문 기사문을 고쳐 쓸 때에는, 거짓으로 지어내거나 상상한 내용을 사실대로 고쳐 써야 합니다.

6 10월 16일에 학교 운동장에서 교내 줄넘기 대회가 열렸다고 하였습니다.

7 학급 신문 기사문에는 거짓으로 지어내거나 상상한 내용을 쓰지 말고, 사실대로 써야 합니다. 제시된 그림을 보면 실제로 일 등을 한 사람은 기찬이므로, 일 등을 한 사람의 이름을 사실대로 고쳐 써야 알맞은 기사문이 됩니다.

8 제시된 광고문에는 어떤 투표에서 '가장 갖고 싶은 스마트폰 1위'로 뽑혔는지에 대한 정보가 감춰져 있습니다.

{ **왜 틀렸을까?** }
제시된 광고문에 '100퍼센트'라는 표현은 사용되지 않았습니다.

9 '음쓰'는 '음식물 쓰레기'를 각 낱말의 앞 글자만으로 줄여 쓴 말입니다. 줄임 말 대신 '음식물 쓰레기'라는 말로 바르게 고쳐 씁니다.

10 온라인 글을 쓸 때에 이모티콘을 지나치게 많이 사용하면 안 됩니다.

그동안
수고했어요~!

편지 쓰기

기억에 남는 일을
일기로 남겨 봐요.

즐겁고 행복했던 일

날짜:

날씨:

제목:

슬프고 속상했던 일

날짜:

날씨:

제목:

정답은
이안에
있어 !

기초 학습능력 강화 프로그램

매일 조금씩 공부력 UP!

국어
예비초~초6

수학
예비초~초6

영어
예비초~초6

봄·여름
가을·겨울

(바·슬·즐)
초1~초2

안전
초1~초2

사회·과학
초3~초6

배움으로 행복한 내일을 꿈꾸는
천재교육 커뮤니티 안내 . . . .

 교재 안내부터 구매까지 한 번에!
천재교육 홈페이지

천재교육 홈페이지에서는 자사가 발행하는 참고서,
교과서에 대한 소개는 물론 도서 구매도 할 수 있습니다.
회원에게 지급되는 별을 모아 다양한 상품 응모에도
도전해 보세요.

 구독, 좋아요는 필수! 핵유용 정보 가득한
천재교육 유튜브 <천재TV>

신간에 대한 자세한 정보가 궁금하세요?
참고서를 어떻게 활용해야 할지 고민인가요?
공부 외 다양한 고민을 해결해 줄 채널이 필요한가요?
학생들에게 꼭 필요한 콘텐츠로 가득한 천재TV로 놀러 오세요!

 다양한 교육 꿀팁에 깜짝 이벤트는 덤!
천재교육 인스타그램

천재교육의 새롭고 중요한 소식을 가장 먼저 접하고 싶다면?
천재교육 인스타그램 팔로우가 필수!
누구보다 빠르고 재미있게 천재교육의 소식을 전달합니다.
깜짝 이벤트도 수시로 진행되니 놓치지 마세요!

내 안의 국어 DNA를 깨우자!

국어 공부력을 기르는
DNA 깨우기

중학에서 다지는 국어 공부력

비문학 독해, 문학, 문법, 어휘 등
어느 것 하나 놓칠 수 없는
중학 국어 공부의 확실한 해법!

알찬 구성, 친절한 안내

개념·원리 이해부터 문제 적용까지
학습 계획표를 따라 공부하면
어느새 실력이 쑥쑥!

교과 연계로 학습 효율 UP

교과와 연계하여 내용을 선정함으로써
배경지식을 쌓으며 내신도 챙길 수 있는
일석이조의 효율적인 학습 시스템!

비문학 독해 DNA 깨우기 (4권)
❶ 독해 기초 / ❶ 독해 원리
❷ 독해 기술 / ❸ 기출 유형

문학 DNA 깨우기 (3권)
❶ 기본 개념 / ❷ 감상 원리
❸ 기출 유형

문법 DNA 깨우기 (1권)

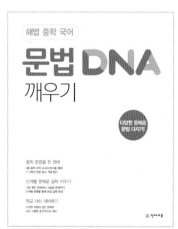

어휘 DNA 깨우기 (2권)
기본 / 실력

book.chunjae.co.kr

교재 내용 문의 ················· 교재 홈페이지 ▶ 초등 ▶ 교재상담
교재 내용 외 문의 ················· 교재 홈페이지 ▶ 고객센터 ▶ 1:1문의
발간 후 발견되는 오류 ··········· 교재 홈페이지 ▶ 초등 ▶ 학습지원 ▶ 학습자료실 ▶ '정오표' 검색

본문 사진 제공 | 셔터스톡, 픽사베이, 엔트리

63710

9 791125 960119
ISBN 979-11-259-6011-9

정가 13,000원

어린이제품
안전 특별법에
의한 품질 표시

My name~

초등학교

학년   반   번

이름